OSTON
toville Gallimard

Bienvenue à Boston !
Une carte générale de la capitale du Massachusetts pour visualiser les 6 grands quartiers développés dans le guide, et repérer les 10 lieux de visite incontournables, précédés d'une étoile. Toutes les informations pratiques, les bons plans et les conseils pour vivre au rythme de Boston.

Découvrir Boston à travers ses 6 grands quartiers

A Back Bay / South End
B West End / Beacon Hill / Boston Common
C Chinatown / Financial District / Theater District
D North End / Waterfront
E Fenway / Kenmore / Brookline
F Cambridge

Pour chaque quartier, une sélection d'adresses (restaurants – classés par ordre croissant de prix –, cafés, bars, boutiques), un choix de sites et de monuments précédés d'une étoile (★) et une carte pour repérer chaque lieu grâce au carroyage (**A** B2).

Transports et hôtels à Boston
Une carte des transports et toutes les informations utiles pour se déplacer dans la ville. Une sélection d'hôtels classés par gamme de prix.

Index des rues, des monuments et des lieux de visite
Classés par ordre alphabétique et immédiatement repérables sur les cartes grâce à un renvoi au carroyage (**B** C3), les rues, les monuments et lieux de visite présentés dans l'ouvrage.

COMMONWEALTH AVENUE

Août
Festival de Chinatown
→ *Début août*
Spectacles et animations de rue.
Octobre
Charles Regatta
→ *3e w.-e. d'oct.*
La plus importante course d'aviron au monde.
Halloween
→ *31 oct.*
Décembre
Illuminations de Noël
Illumination du sapin de Prudential Center (**A** B3), du Boston Common (**B** C6) et du Public Garden (**B** B6) par le maire.
Festivités du Nouvel An
→ *31 déc.*
Événements à Downtown.

HORAIRES

Restaurants et bars
→ *Restaurants En général, tlj. 11h30-22h (plus tôt le dim. ; plus tard dans les lieux en vogue)*
Bars En général, tlj. 11h30-1h/2h
Boutiques
→ *Lun.-sam. 10h-18h/19h, dim. 12h-18h*
Grands magasins et centres commerciaux
→ *Lun.-sam. 10h-20h/21h, dim. 12h-18h*
Musées
→ *Tlj. 9h-17h (souvent plus tard le ven.)*
Banques et bureaux
→ *Lun.-ven. 8h-16h*
Certaines banques ouvertes le sam. matin.

SE RESTAURER

Une nouvelle génération de lieux *trendy* est née. Si les restaurants classiques ferment vers 22h, certains établissements des quartiers à la mode comme South End se transforment en *lounge* vers minuit.
Pourboire
Il est d'usage de laisser 15 % de l'addition (à peu près deux fois le montant de la taxe qui figure sur la note) ; 20 % pour un dîner haut de gamme. Dans les bars, il faut compter autour de 1$ par verre.

BUDGET

Une chambre en centre-ville : 250$.
Un repas complet (entrée, plat ou plat, dessert) : 40$.
Une bière : 4$.
Les prix à la carte indiqués dans ce guide valent pour deux plats, boisson et service, non compris.

SPECTACLES

Réservations
Ticketmaster
→ *Tél. (617) 931-2000*
www.ticketmaster.com
Réservations et vente de billets pour spectacles en ville et dans la région.

ARCHITECTURE

Coloniale (XVIIe-début XVIIIe s.) Charpente en bois ou bardeau. Peu d'exemples subsistent à cause des incendies du XVIIIe siècle : **Paul Revere House** (**D** C4).
Fédérale (1763-1844) Un style inspiré de l'architecture gréco-romaine, popularisée par Charles Bulfinch : Harrison Gray Otis House (**B** C4).
Victorienne (XIXe s.) Une architecture influencée par la Renaissance italienne, le gothique et le roman : Trinity Church (**A** D2).
Contemporaine
Gratte-ciel le plus célèbre : la John Hancock Tower (1975) (**A** D2) de I. M. Pei. Parmi les projets les plus avant-gardistes : le Ray and Maria Strata Center (1998) (**F** F3), l'Institute of Contemporary Art (2006) (**C** F2).

POINTS DE VUE

De la Prudential Tower (Skywalk Observatory) (**A** B3) Ou mieux : prendre un verre deux étages plus haut au restaurant Top of the Hub.
Du Bunker Hill Monument (D B1)
Monter les 294 marches pour une vue d'ensemble de la ville et du port.
À vue d'eau Prendre un *Duck tour* pour voir Boston du fleuve.
Du T (metro aérien)
Une vue unique de Boston et Cambridge entre les arrêts Charles-MGH et Kendall-MIT de la Red Line.

LAC DU JARDIN PUBLIC

Carte de visite

■ Capitale du Massachusetts, surnommée le “Berceau de la liberté” en vertu de son rôle important dans la Révolution américaine ■ 590 763 habitants ■ 125 km² ■ 12 millions de visiteurs par an

BÂTIMENTS ANCIENS ET MODERNES À DOWNTOWN

Grandes dates

1620 Les pèlerins fondent la première colonie de Nouvelle-Angleterre à Plymouth
1629 John Winthrop et la Massachusetts Bay Colony créent Boston
5 mars 1770 “Boston Massacre” : les troupes britanniques abattent cinq Bostoniens
16 déc. 1773 Les rebelles de la Boston Tea Party protestent contre les taxes en larguant 342 caisses de thé dans le port **1775** Batailles de Lexington et Concord : début de la guerre de l’indépendance
4 juil. 1776 Déclaration d’indépendance

Internet

→ *www.bostonusa.com*
Le site web du Boston Convention and Visitors Bureau.
→ *www.cityofboston.gov*
Informations utiles pour les résidents et visiteurs.
→ *www.boston.com*
Le *Boston Globe* en ligne.
→ *www.boston.citysearch.com*
Listes des bars, restaurants et boutiques avec commentaires à l’appui.

Informations touristiques

Greater Boston Convention and Visitors Bureau (A C-D3)
→ *2 Copley Place, Suite 105*
Tél. 1-888-733-2678
www.bostonusa.com
Ouvert 24h/24
CVS Drugstore (**A** D2)
→ *587 Boylston St*
Tél. (617) 437-8414
Store 24 (**A** C2)
→ *717 Boylston St*
Tél. (617) 424-6888

Téléphone

Indicatifs
Boston
→ *617*
Banlieue de Boston
→ *857*
France-Boston
→ *00 + 1 (USA) + indicatif de la région + n° de tél. à 7 chiffres*
Boston-France
→ *011 + indicatif du pays + indicatif de la région + n° de tél.*
Renseignements
→ *411 (renseignements nationaux)*
→ *00 (renseignements internationaux)*
Les numéros qui commencent par 1-800 et 888 sont gratuits.
Urgences
Police, pompiers
→ *911*

Jours fériés

→ *1er janvier, Martin Luther King Jr Day (3e lun. de jan.), Presidents’ Day (3e lun. de fév.), Patriot’s Day (3e lun. d’avr.), Memorial Day (dernier lun. de mai), 4 juil., Labor Day (1er lun. de sep.), Columbus Day (2e lun. d’oct.), Veterans Day (11 nov.), Thanksgiving (3e jeu. de nov.), Noël*

Calendrier

Janvier-début février
Nouvel An chinois
Défilés à Chinatown.
Mars
St Patrick’s Day
→ *17 mars*
Défilé à South Boston et festivités dans toute la ville.
Avril
Patriot’s Day
→ *3e lun. d’avr.*
Marathon de Boston, de Hopkinton à Copley Square.
Mai
Dimanche des lilas
→ *3e dim. de mai*
L’Arnold Arboretum est parsemé de violettes et les pique-niques y sont autorisés.
Memorial Day
→ *Dernier lun. de mai*
Défilés honorant les soldats morts pour leur pays.
Juin-juillet
Boston Harborfest
→ *Fin juin-4 juil.*
Concerts dans toute la ville et l’inévitable Chowderfest (fête de la Soupe aux palourdes).
Fourth of July
→ *4 juil.*
Concert gratuit des Boston Pops suivi d’un spectaculaire feu d’artifice sur l’esplanade du fleuve Charles.
Cinéma gratuit
→ *Ven. soir, juin-août*
Trois mois de séances gratuites au Hatch Shell Memorial.

F

2A
NORTH CAMBRIDGE
RADCLIFFE COLLEGE
BOTANICAL MUSEUM
HARVARD UNIVERSITY
HARVARD SQUARE
2
CAMBRIDGE COMMON
ARTHUR M. SACKLER MUSEUM
CHRIST CHURCH
HARVARD SQUARE
FOGG ART MUSEUM
BUSCH-REISINGER MUSEUM
2
MOUNT AUBURN CEMETERY
JFK PARK
2A
3
CHARLES RIVER
SOLDIERS FIELD ROAD
HARVARD STADIUM
SOLDIERS FIELD ROAD
NORTH BRIGHTON
CENTRAL SQUARE
2
90
SOLDIERS FIELD ROAD
CHARLES RIVER

E

20
STORROW DRIVE
COMMONWEALTH AVENUE
30
COOLIDGE CORNER
90
AMORY PLAYGROUND
2
BEACON STREET
KENNEDY NATIONAL HISTORICAL SITE
RIVERWAY PARK
LONGWOOD
BETH ISRAEL-DEACONESS MED CENTER
BEACON STREET
GRIGGS FIELD
2
DOWNES FIELD
MASS COLLEGE OF PHARMACY HEALTH SCIENCE
SCHICK PARK
BROOKLINE VILLAGE
HUNTINGTON AVE
9
BOYLSTON STREET
NEW ENGLAND BAPTIST HOSPITAL
RESERVOIR PARK
9
TOWN OF BROOKLINE
JAMAICAWAY PARK

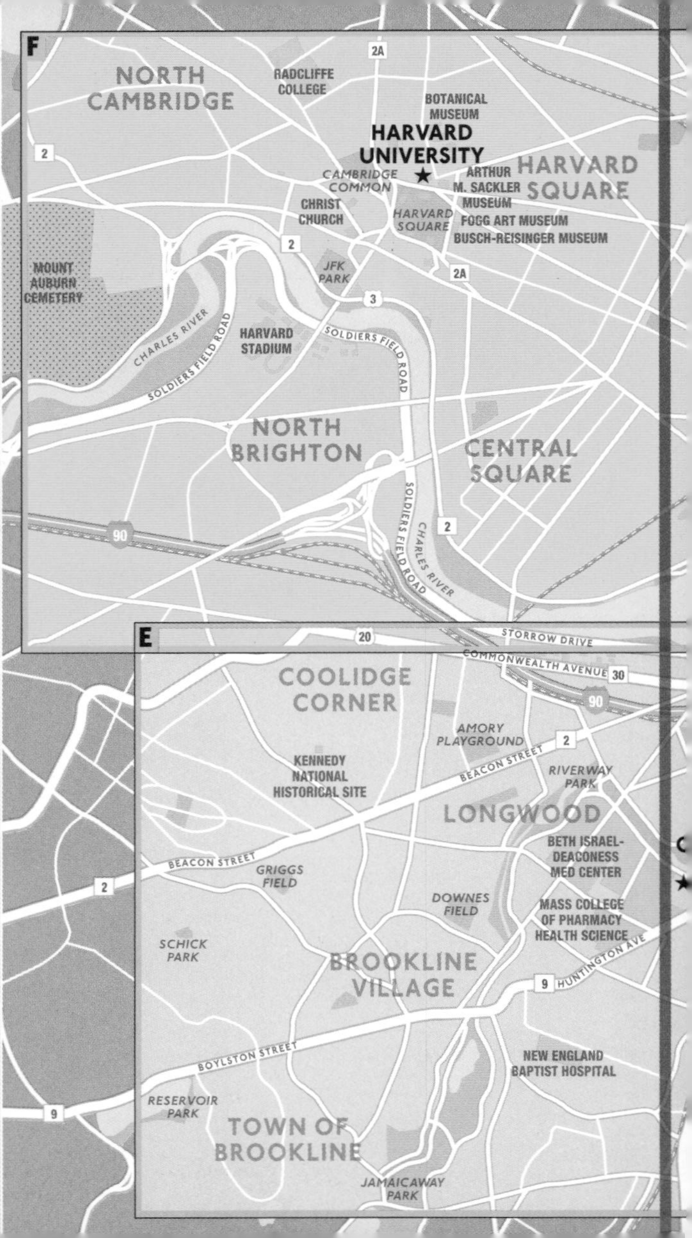

A
Back Bay / South End

Étang saumâtre, jusqu'à la fin du XIXe siècle, Back Bay exhibe aujourd'hui ses villas patriciennes de grès brun entre lesquelles émergent quelques boutiques et cafés chics. Au-delà se trouve le pittoresque Copley Square, image d'Épinal de Boston. Un peu plus loin, le South End poursuit son expansion, en taille – il englobe aujourd'hui toute la zone de galeries de SoWa ou South Washington Area – et en renommée. C'est en effet grâce à ce quartier, à ses chefs célèbres, à ses galeries d'avant-garde et à son immobilier hors de prix que Boston peut prétendre à la "branchitude".

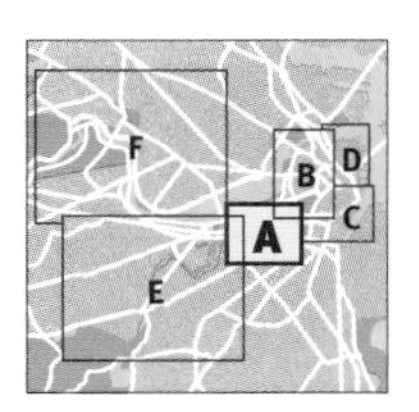

SONSIE

VIA MATTA

RESTAURANTS

Steve's Greek Restaurant (A A2)
→ *316 Newbury St*
Tél. (617) 267-1817 Lun.-sam. 7h30-23h, dim. 10h-22h
Malgré sa situation, idéale, un établissement discret et sans prétention. Portions généreuses et bon marché. Carte 15$.

Coppa (A F4)
→ *253 Shawmut Ave*
Tél. (617) 391-0902
Tlj. 17h30-0h45
Un étroit bar à vins : délicieux *crostini* de foie de volaille, *arancini* de *fontina* (fromage italien) fourrés et pizzas à pâte fine cuites au four à bois. Bondé et bruyant le soir. Carte 15$.

Franklin Café (A F4)
→ *278 Shawmut Ave*
Tél. (617) 350-0010 Tlj. 17h-2h
Un favori de South End : dans ce lieu tamisé mais animé, cuisine américaine moderne à des prix raisonnables. Chose rare à Boston, on sert jusqu'à 1h30. Un seul regret : l'absence de dessert. Carte 30$.

Via Matta (A F2)
→ *79 Park Plaza*
Tél. (617) 422-0008 Lun.-ven. 11h30-14h30, 17h30-22h (23h ven.) ; sam. 17h-23h
Plus abordable que la maison mère Radius (**C** E2), on sert ici des plats d'une parfaite simplicité, réalisés avec les meilleurs ingrédients du marché. Essayer les Mascaporeos, sablés croustillants au chocolat et à la crème de mascarpone sucrée. L'été, choisir un coin d'ombre sous un arbre du patio. Carte 35$.

Toro (hors plan **A** F4)
→ *1704 Washington St*
Tél. (617) 536-4300
Lun.-ven. 12h-14h, 17h30-22h15 (17h-23h45 ven.) ; sam. 17h30-23h45 ; dim. 10h30-14h
***Bar** Tlj. 16h30-0h (1h ven.-sam.)*
Dans le bar à tapas du chef Ken Oringer, clientèle jeune et branchée et cuisine audacieuse : le foie gras aux poires et au chutney de bacon, ou le maïs grillé à l'aioli et fromage mexicain. Commander un pichet de sangria avant de s'asseoir à l'une des tables communes. Carte 35$.

B & G Oyster (A E4)
→ *550 Tremont St*
Tél. (617) 423-0550
Lun.-ven. 11h30-22h (23h lun.), w.-e. 12h-22h (23h sam.)
Ce lieu stylé du South End est le premier – donc l'original ! – restaurant gastronomique de fruits de mer du chef Barbara Lynch. Le sandwich B.L.T. au homard a ses adeptes,

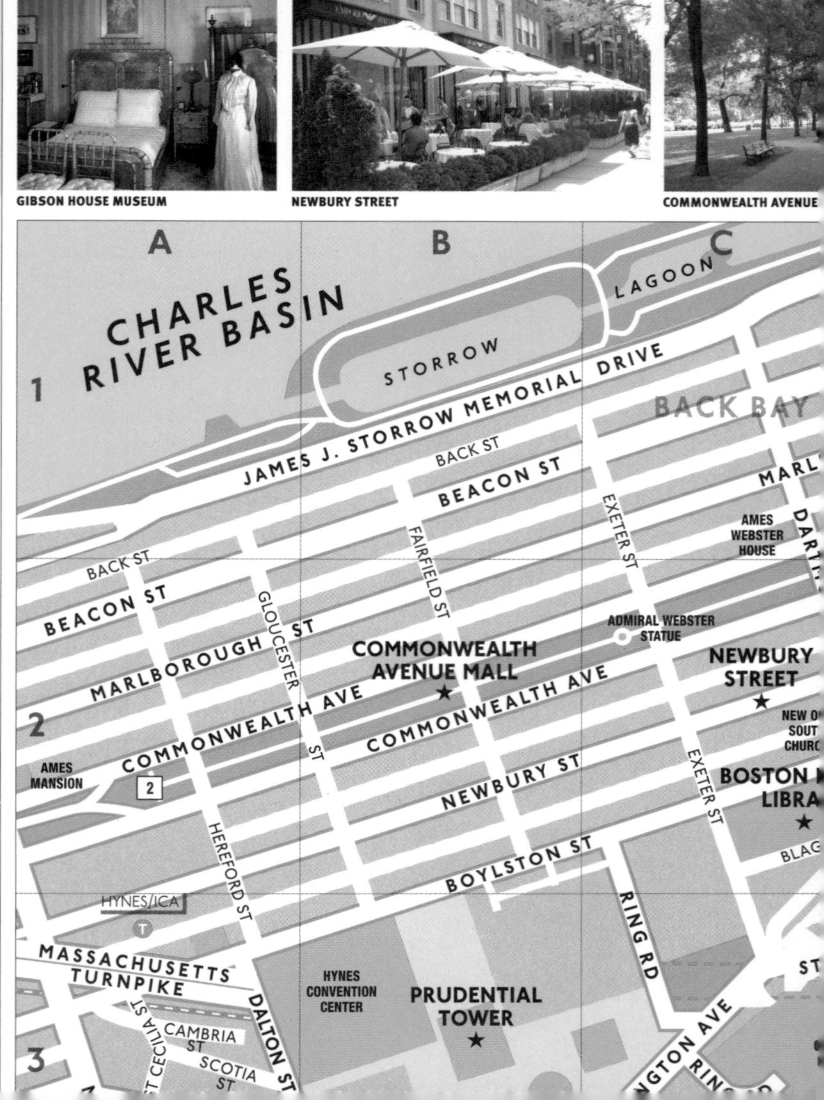

GIBSON HOUSE MUSEUM

NEWBURY STREET

COMMONWEALTH AVENUE

▲ Plan E

QUINCY MARKET

LE SKYLINE DE BOSTON

DOWNTOWN

SALLE DE LECTURE À HARVARD UNIVERSITY

MARCHÉS

Antiquités et artisanat
Cambridge Antique Market (**B** B2)
→ *201 Msgr O'Brien Hwy*
Tél. (617) 868-9655
www.marketantique.com
5 étages, 150 marchands.
Prudential Center Farmer's Market (**A** B2)
→ *800 Boylston St*
Mai-oct. : jeu. 11h-18h
Cambridge Artists Cooperative (**A** F2)
→ *59A Church St*
Tél. (617) 868-4434
Magasin d'art
et d'artisanat local.
Farmers' markets (marché de producteurs)
→ *www.massfarmers markets.org*
Copley Square (**A** D2)
→ *St James Ave, en face de Trinity Church*
Mai-nov. : mar.-ven. 11h-18h
Boston City Hall (**D** B5)
→ *City Hall Plaza*
Mai-nov. : lun.-mer. 11h-18h
Haymarket (**D** A4)
→ *Blackstone St Ven.-sam. lever-coucher du soleil*

SHOPPING

Où faire du shopping
À Newbury Street pour les créateurs et bijoutiers à la mode. À South End pour les nouvelles boutiques et galeries. À Charles Street pour les antiquités.
Dans les rues de Cambridge pour les magasins ethniques et d'occasion.
À Downtown Crossing pour des boutiques pas chères.
Vêtements vintage
Oonas (**F** D2)
→ *1210 Massachusetts Ave*
Tél. (617) 491-2654 Lun.-sam. 11h-19h, dim. 12h-18h
Garment District (**A** F2)
→ *200 Broadway St*
Tél. (617) 876-5230
www.garment-district.com
Produits de bouche
South End Formaggio
→ *268 Shawmut Ave* (**A** F4)
Tél. (617) 350-6996
Lun.-sam. 9h-20h (19h sam.), dim. 11h-17h Succursale : 244 Huron Ave (**F** A1)
Le paradis des amateurs de fromages. Sandwiches et salades à emporter.
Grands magasins
Barneys New York (**A** C3)
→ *100 Huntington Ave (Copley Place) Lun.-sam. 10h-20h, dim. 12h-18h*
La même sélection pointue de vêtements et de chaussures qu'au magasin new-yorkais.
Louis Boston (**A** E2)
→ *234 Berkeley St*
Lun. 11h-18h, mar.-sam. 10h-19h (18h mar.-mer.)
Pour trouver les meilleurs designers du moment.
Downtown Crossing (**C** B2)
→ *Tél. (617) 482-2139*
Grand centre commercial.
Neiman Marcus (**A** D2)
→ *5 Copley Place*
Tél. (617) 536-3660 Lun.-sam. 10h-20h, dim. 12h-18h
Grand magasin élégant.

BOSTON À PIED

Boston mérite bien son surnom d'"America's Walking City" (la ville des États-Unis où l'on marche), la plupart des sites historiques étant rassemblés dans un petit périmètre.
Le National Park Service propose des itinéraires :
Freedom Trail
Un circuit de 4 km qui commence à Boston Common (**B** C6) et relie par une ligne rouge peinte sur le sol 16 bâtiments et lieux historiques importants de la Révolution américaine, qui a vu le jour à Boston. Visites guidées et plans au Boston National Historical Park Visitor Center (**C** D1)
→ *15 State St*
Tél. (617) 242-5642
www.thefreedomtrail.org
Black Heritage Trail
Un parcours de 2,5 km entre Beacon Hill et Downtown comprenant le Robert Gould Shaw Memorial et l'African American Meeting House. Visites guidées :
→ *46 Joy St* (**B** C4)
Tél. (617) 725-0022
Lun.-sam. 10h-16h www.afroamericanmuseum.org
Boston Women's Heritage Trail
Un guide de six parcours pédestres sur la contribution des femmes aux quartiers de la ville.
Boston Common Visitors Information Booth (**B** C6)
→ *147 Tremont St*
Tél. (617) 426-3115
Lun.-sam. 8h30-17h, dim. 10h-18h

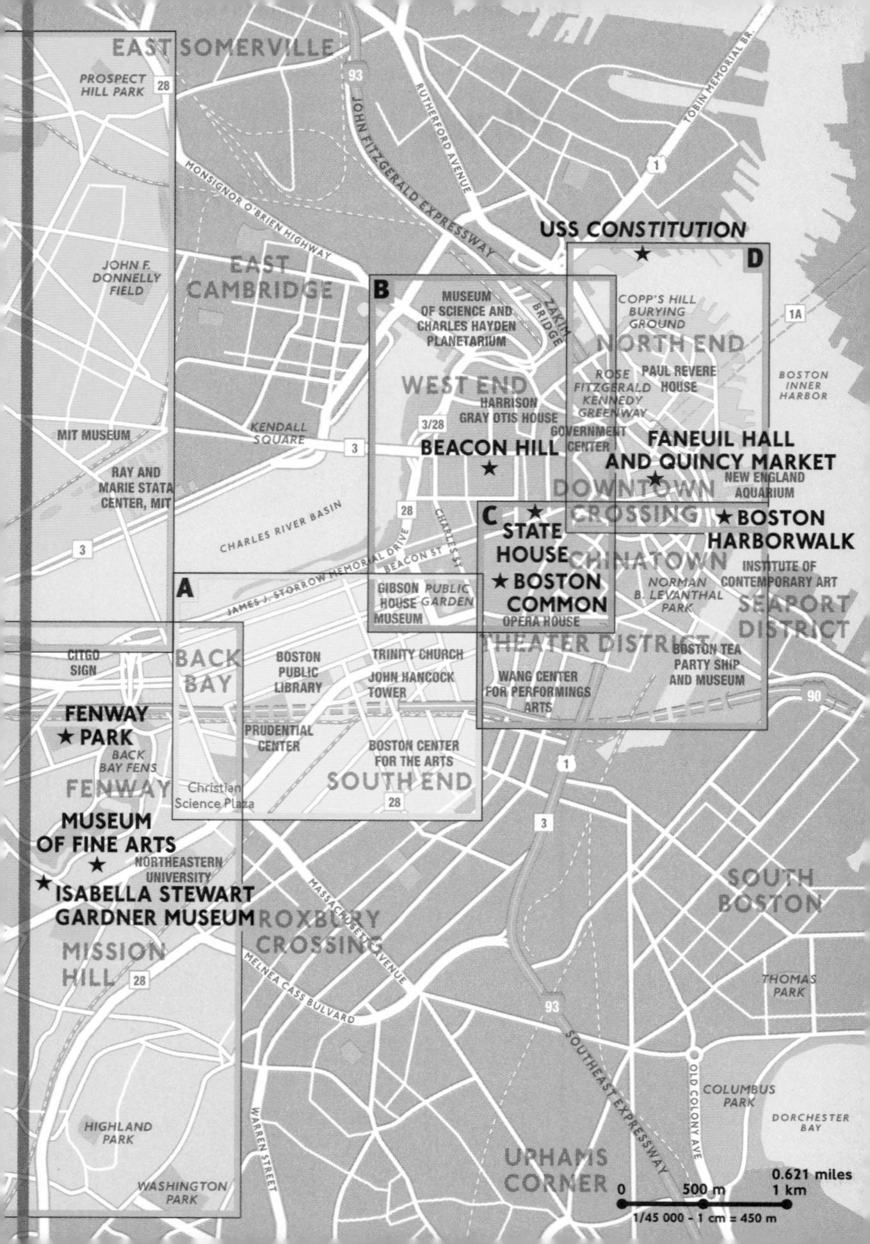

EAST SOMERVILLE
PROSPECT HILL PARK
28
93
JOHN FITZGERALD EXPRESSWAY
RUTHERFORD AVENUE
TOBIN MEMORIAL BR.
1
MONSIGNOR O'BRIEN HIGHWAY
USS CONSTITUTION
D
JOHN F. DONNELLY FIELD
EAST CAMBRIDGE
B
MUSEUM OF SCIENCE AND CHARLES HAYDEN PLANETARIUM
ZAKIM BRIDGE
COPP'S HILL BURYING GROUND
1A
NORTH END
BOSTON INNER HARBOR
WEST END
ROSE FITZGERALD KENNEDY GREENWAY
PAUL REVERE HOUSE
HARRISON GRAY OTIS HOUSE
3/28
KENDALL SQUARE
MIT MUSEUM
3
BEACON HILL
GOVERNMENT CENTER
FANEUIL HALL AND QUINCY MARKET
NEW ENGLAND AQUARIUM
RAY AND MARIE STATA CENTER, MIT
DOWNTOWN CROSSING
C
STATE HOUSE
BOSTON HARBORWALK
CHARLES RIVER BASIN
CHARLES ST
BEACON ST
JAMES J. STORROW MEMORIAL DRIVE
CHINATOWN
INSTITUTE OF CONTEMPORARY ART
A
GIBSON HOUSE MUSEUM
PUBLIC GARDEN
BOSTON COMMON
NORMAN B. LEVANTHAL PARK
SEAPORT DISTRICT
OPERA HOUSE
THEATER DISTRICT
CITGO SIGN
BACK BAY
BOSTON PUBLIC LIBRARY
TRINITY CHURCH
JOHN HANCOCK TOWER
BOSTON TEA PARTY SHIP AND MUSEUM
WANG CENTER FOR PERFORMINGS ARTS
90
FENWAY PARK
PRUDENTIAL CENTER
BOSTON CENTER FOR THE ARTS
BACK BAY FENS
FENWAY
Christian Science Plaza
SOUTH END
MUSEUM OF FINE ARTS
NORTHEASTERN UNIVERSITY
ISABELLA STEWART GARDNER MUSEUM
MASSACHUSETTS AVENUE
SOUTH BOSTON
ROXBURY CROSSING
MISSION HILL
MELNEA CASS BULVARD
THOMAS PARK
SOUTHEAST EXPRESSWAY
OLD COLONY AVE
COLUMBUS PARK
DORCHESTER BAY
HIGHLAND PARK
WARREN STREET
UPHAMS CORNER
WASHINGTON PARK
0
500 m
0.621 miles
1 km
1/45 000 - 1 cm = 450 m

K BAR

LUSH

MARC JACOBS

mais les puristes préfèrent le classique *lobster roll* servi avec des frites croustillantes. Le Raw Bar propose 12 variétés d'huîtres. Carte 40$.

Hamersley's Bistro (A E4)
→ *553 Tremont St*
Tél. (617) 423-2700
Lun.-sam. 17h30-21h30 (22h sam.) ; dim. 11h-14h, 17h30-21h30
Malgré l'abondance de restaurants, Hammersley's reste le préféré de South End. Excellente cuisine de bistro française dans un cadre chaleureux : les plats sont de saison et le classique poulet rôti à l'ail, au citron et au persil, irréprochable. Carte 50$.

Bar, cafés

Oak Bar, Fairmont Copley Plaza (A E2)
→ *138 St James Ave*
Tél. (617) 267-5300
Tlj. 11h-0h (1h ven.-sam.)
Dans ce *lounge* richement orné de bois sombre, marbre gris et dorures étincelantes, une clientèle chic sirote des cocktails Martini exclusifs et préparés avec soin. Musique live mar.-sam.

Parish Café (A E2)
→ *361 Boylston St*
Tél. (617) 247-4777
Tlj. 11h30 (12h dim.)-2h
Un endroit agréable au menu étoilé : tous les sandwichs ont été créés par des chefs célèbres. Essayez l'"Espalier", de Frank McClelland : salade de crabe sur brioche au poivre. Joli patio extérieur. 10$.

Sonsie (A A2)
→ *327 Newbury St*
Tél. (617) 351-2500 Tlj. 7h-1h
Un café branché idéal pour une pause lors d'une virée shopping. Le soir, une foule de jeunes gens glamour se retrouvent un étage plus bas au Red Room Lounge.

Shopping

Newbury Street (A A-E1)
Avec pour piliers Burberry et Chanel, la rue abonde en boutiques de mode, en salons de beauté et aussi en galeries d'art.

Barbara Krakow Gallery, au n° 10
→ *Tél. (617) 262-4490*
Mar.-sam. 10h-17h30
De l'art moderne avec de grandes pointures comme Dan Flavin et Kiki Smith et quelques étoiles montantes.

Marc Jacobs, au n° 81
→ *Tél. (617) 425-0404 Lun.-sam. 11h-19h, dim. 12h-18h*
Les collections haut-de-gamme homme et femme côtoient la ligne "Marc", moins chère.

Queen Bee, au n° 85
→ *Tél. (617) 859-7999*
Lun.-sam. 10h-18h (19h jeu.-sam.), dim. 12h-18h
Vêtements bon chic bon genre de marques comme Milly, CK Bradley et Diane von Furstenberg.

Lush, au n° 166
→ *Tél. (617) 375-5874*
Lun. sam. 10h-20h, dim. 11h-18h
Produits pour le bain et cosmétiques aux arômes surprenants, faits avec des ingrédients naturels.

Second Time Around, au n° 219
→ *Tél. (617) 266-1113*
Lun.-sam. 11h-19h (10h sam.), dim. 12h-18h
Dépôt-vente où dénicher d'incroyables trouvailles : Manolo Blahnik et Prada à 25 %-50 % du prix original. Autre boutique en bas de la rue, au n° 219.

Matsu, au n° 259
→ *Tél. (617) 266-9707 Lun.-sam. 11h-18h, dim. 13h-17h*
Vêtements et déco triés sur le volet : pulls en cachemire et accessoires Comme des Garçons, mais aussi bijoux très tendance et vaisselle délicate.

Johnny Cupcakes, au n° 279
→ *Tél. (617) 375-0100*
Tlj. 11h-19h (20h ven.-sam.)
Croix de pirate et muffin : le logo apparaît partout, sur les petites culottes comme sur les colliers. Tee-shirts parfaitement coupés, avec un choix étourdissant d'imprimés funky.

South of Washington St Galleries (SoWa)
(hors plan **A** F4)
→ *450 Harrison Ave*
www.sowaartistsquild.com
Dans cet ancien moulin, une douzaine de galeries et plus de 50 ateliers d'artistes. À visiter le premier ven. du mois, lorsque ces derniers ouvrent au public. Parmi les galeries les plus connues :

Bromfield Gallery (#27)
→ *Tél. (617) 451-3605*
Mer.-sam. 12h-17h
Coopérative de 20 artistes aux styles et moyens d'expression variés, allant de la peinture abstraite à la sculpture conceptuelle.

Galerie Kayafas
→ *450 Harrison Ave, n° 61*
Tél. (617) 482-0411
Mar.-sam. 11h-17h30
Une large sélection de photographes, et des expos temporaires fréquentes.

Boston Sculptors Gallery
→ *486 Harrison Ave*
Tél. (617) 482-7781
Mar.-sam. 11h-18h
Coopérative de 28 artistes : deux expositions différentes chaque mois.

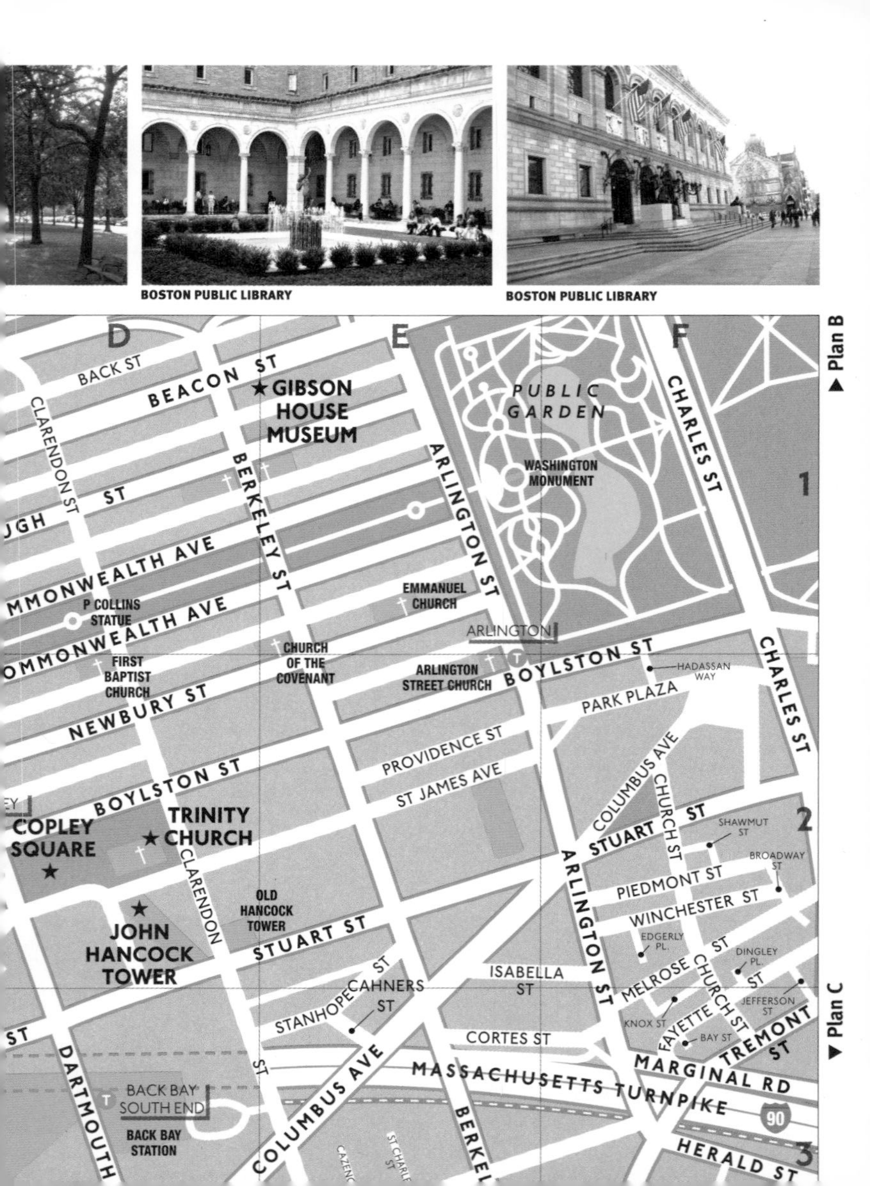

BOSTON PUBLIC LIBRARY
BOSTON PUBLIC LIBRARY
D
E
F
1
2
3
▲ Plan B
▼ Plan C
BACK ST
BEACON ST
GIBSON HOUSE MUSEUM
PUBLIC GARDEN
WASHINGTON MONUMENT
CHARLES ST
CLARENDON ST
BERKELEY ST
ARLINGTON ST
COMMONWEALTH AVE
P COLLINS STATUE
EMMANUEL CHURCH
ARLINGTON
FIRST BAPTIST CHURCH
CHURCH OF THE COVENANT
ARLINGTON STREET CHURCH
BOYLSTON ST
HADASSAN WAY
PARK PLAZA
NEWBURY ST
PROVIDENCE ST
ST JAMES AVE
COLUMBUS AVE
CHURCH ST
COPLEY SQUARE
TRINITY CHURCH
STUART ST
SHAWMUT ST
BROADWAY ST
PIEDMONT ST
WINCHESTER ST
OLD HANCOCK TOWER
JOHN HANCOCK TOWER
EDGERLY PL.
DINGLEY PL.
ISABELLA ST
MELROSE ST
CAHNERS ST
STANHOPE ST
JEFFERSON ST
KNOX ST
FAYETTE ST
BAY ST
TREMONT ST
CORTES ST
MARGINAL RD
MASSACHUSETTS TURNPIKE
DARTMOUTH
BACK BAY SOUTH END
BACK BAY STATION
BERKELEY
90
HERALD ST

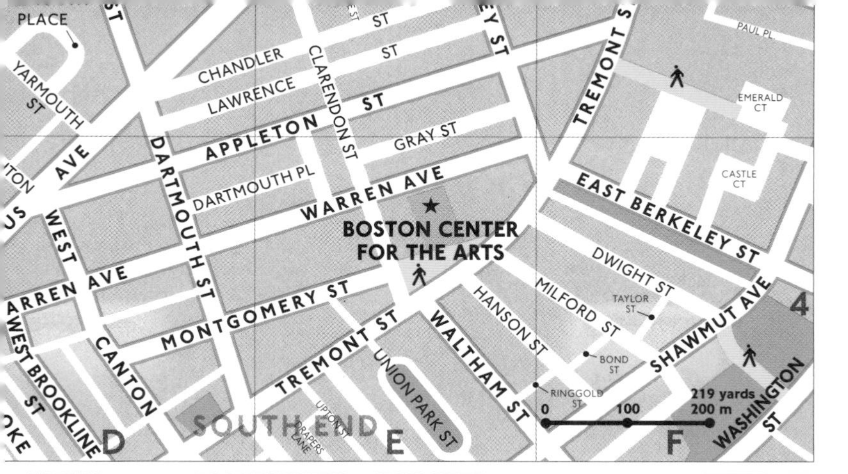

BOSTON CENTER FOR THE ARTS

PRUDENTIAL TOWER

mboyant, éclairé
r des vitraux, dont
s créations opalescentes
John LaFarge.

Copley
uare (A D2)
Farmer's Market 23 mai-nov. : mar.-ven. 11h-18h
serrée par Trinity Church
la Boston Public Library,
tte place arborée est la
aque tournante de Back
y. Point d'arrivée du
ston Marathon annuel,
e accueille, pendant les
ois les plus chauds, des
stivals de musique et des
archés de producteurs.

Gibson House
useum (A E1)
137 Beacon St
Tél. (617) 267-6338
Visites guidées uniquement mer.-dim. 13h, 14h et 15h
Dehors, un bâtiment de grès brun classique de 1859. Dedans, l'intérieur de la famille Gibson, qui n'a pas bougé depuis l'ère victorienne ! Tout a été préservé, du papier peint au mobilier en passant par les robes de chambre. Quatre des six étages sont ouverts à la visite, dont le quartier des domestiques et les chambres à coucher.

★ Boston Center for the Arts (A E4)
→ *539 Tremont St, entre Berkeley et Clarendon*
Tél. (617) 426-5000
Ce centre de 1,6 ha abrite la Cyclorama Rotunda – espace consacré aux arts du spectacle et aux expositions –, l'immeuble de Tremont Estates avec plus de 50 ateliers d'artistes et la Mills Gallery où ont lieu les six expositions annuelles majeures du BCA. L'addition récente du très branché Atelier 505, un complexe multi-usages avec appartements de luxe, boutiques et restaurants, a insufflé encore plus d'énergie au quartier.

★ Prudential Tower (A B3)
→ *Tél. (800) 740-7778*
Lun.-sam. 10h-21h, dim. 11h-18h
À la base de ce gratte-ciel de 52 étages, Prudential Center et sa brochette de boutiques et restaurants, dont Lacoste, Crane & Co., Sephora, California Pizza Kitchen. Gucci, Dior et Tiffany & Co, se trouvent de l'autre côté du pont piéton, à Copley Place. La vue sur la ville du haut du Prudential Center Skywalk au 50e étage vaut le détour ainsi que celle qu'offre le restaurant Top of the Hub, deux étages au-dessus, avec sa baie vitrée, ses menus haut de gamme et ses soirées jazz.

STATE HOUSE

MUSEUM OF SCIENCE

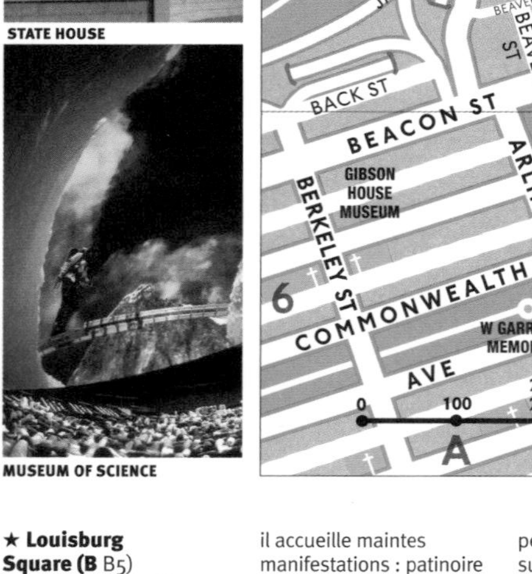

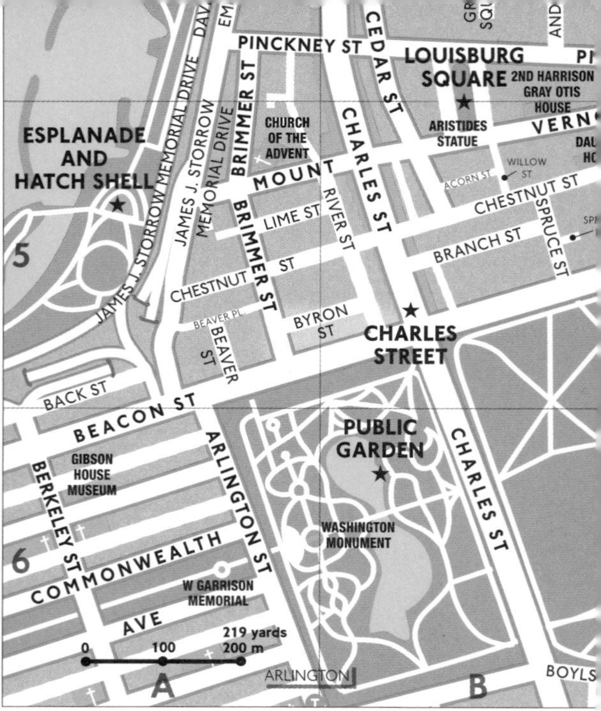

★ **Louisburg Square (B** B5)
Dans le quartier déjà snob de Beacon Hill, le seul jardin privé de Boston est une enclave élitiste où le prix de l'immobilier atteint des sommets ! Louisa May Alcott (1832-1888), auteur de *Les Quatre filles du Docteur March,* y a vécu, mais ses résidents les plus célèbres sont John Kerry et sa femme.

★ **Boston Common (B** C6)
Lieu de rassemblement depuis toujours, cet espace vert de 20 ha servait, au début des années 1800, à la fois de lieu de pendaison public et de pâturage commun ! De nos jours, il accueille maintes manifestations : patinoire en hiver et concerts de plein air en été. Le monument d'Augustus Saint-Gaudens, rend hommage au colonel Robert Gould Shaw et à son 54e régiment, composé des premiers soldats afro-américains. Shaw et 270 de ses hommes périrent lors de l'attaque de Fort Ledger pendant la guerre de Sécession.

★ **Public Garden (B** B6)
En face de Boston Common, le premier jardin botanique public du pays prend des airs parisiens. Les saules se penchent délicatement le long des sentiers pédestres et un pont suspendu miniature enjambe le petit lac, sur lequel il est possible de naviguer aux beaux jours dans des pédalos en forme de cygne.

★ **State House (B** C4)
→ *Beacon St et Park St*
Tél. (617) 727-3676
Lun.-ven. 10h-16h
Charles Bulfinch a donné au siège du gouvernement du Massachusetts (1798) un caractère sacré et grandiose. Le dôme de 9 m de haut fut à l'origine recouvert de cuivre par Paul Revere & Sons pour prévenir les fuites d'eau. Ce repère brillant étant devenu une fierté nationale, on en rehaussa l'éclat e l'habillant, en 1874, d'ur feuille d'or de 23,5 carat Une visite guidée perme de découvrir le Hall of Fl (salle des Drapeaux), la House Chamber (Chambre des représent de l'État) et la Senate Chamber (Sénat de l'Éta

★ **Charles Street (B** B
Avec ses trottoirs pavés et ses hôtels particuliers de grès brun classés, ce rue charmante concentr l'essence de Boston. Magasins chics, antiqua traiteurs et restaurants attirent les habitants de Beacon Hill tout proc

◀ Plan A

BOSTON COMMON (PATINOIRE DE FROG POND)

CHARLES STREET

LOUISBURG SQUARE

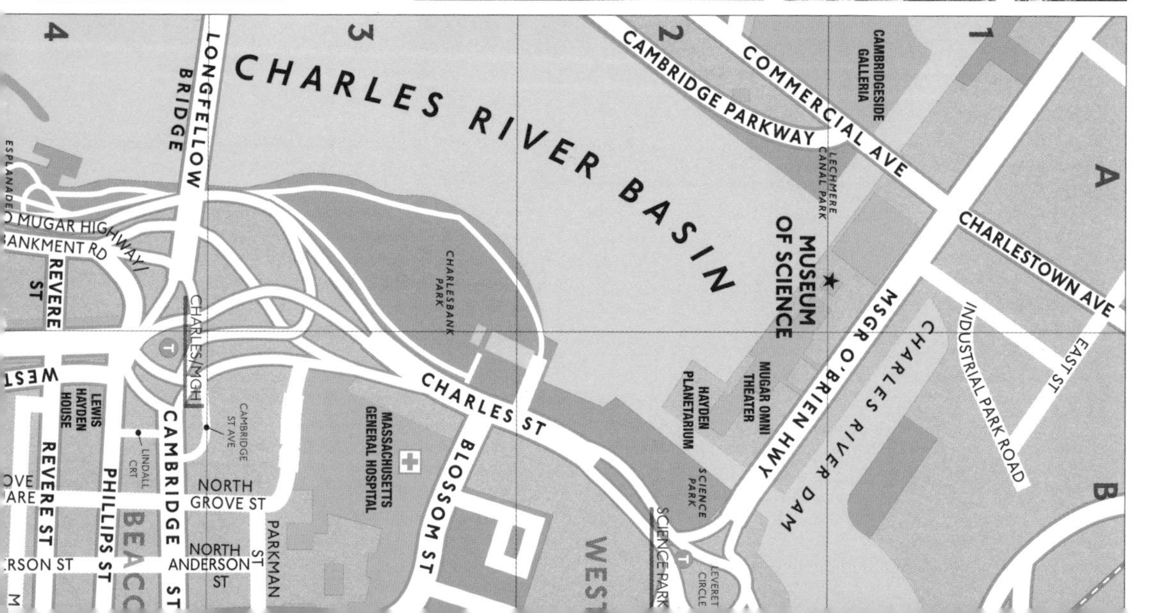

Beacon Hill est indissociable d'une certaine élite, plaisamment surnommée "Boston Brahmins" par Oliver Wendell Holmes. Ce périmètre d'à peine 130 ha demeure le quartier le plus prisé de la ville. De strictes réglementations architecturales lui ont permis de conserver son aspect du XIXe siècle, avec ses rangées de maisons de briques rouges et ses réverbères à gaz. L'idyllique Charles Street aux trottoirs pavés mène directement au Boston Common et au Public Garden, grands espaces verts bordés par d'imposants monuments, dont Massachussetts State House, conçue par Charles Bulfinch.

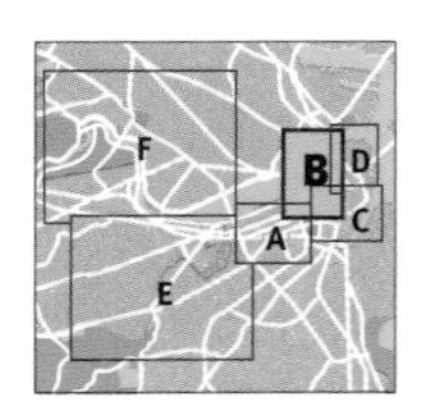

THE PARAMOUNT

THE BRISTOL

RESTAURANTS

Upper Crust (B B5)
→ *20 Charles St*
Tél. (617) 723-9600
Tlj. 11h30-22h
(22h30 jeu., 23h ven.-sam.)
Très bonne ambiance dans l'établissement d'origine de cette chaîne de pizzerias. Longue table commune et cuisine ouverte où l'on peut voir les pizzaiolos travailler la pâte jusqu'à un degré extrême de finesse. Pizzas autour de 15$.

Figs (B B5)
→ *42 Charles St*
Tél. (617) 742-3447
Lun.-ven. 17h30-22h
(22h30 ven.), sam. 17h-1h,
dim. 12h-22h
Une des pizzerias "pour adultes" du prolifique chef Todd English. Exquises pizzas à pâte fine, avec des garnitures originales et inventives. Essayer celle aux figues, *prosciutto* et gorgonzola. Pas de dessert. Carte 20$.

Lala Rokh (B A5)
→ *97 Mount Vernon St*
Tél. (617) 720-5511
Lun.-ven. 12h-15h, 17h30
22h ; w.-e. 17h30-22h
Dans un quartier résidentiel calme, la meilleure adresse de cuisine perse de la ville. Azita-Bina Seibel et Babak Bina préparent les plats de leur enfance : savoureux ragoûts, viandes marinées aux herbes aromatiques et aux épices ... Le riz est parfumé au cumin, à la cannelle et aux pétales de roses. Parfait pour un dîner intime. Carte 25$.

Grotto (B C4)
→ *37 Bowdoin St*
Tél. (617) 227-3434
Lun.-ven. 11h30-15h, 17h-
22h ; w.-e. 17h-22h
Un amour de restaurant, installé en sous-sol. Accueil chaleureux et assiettes copieuses, pour des saveurs italiennes classiques : spaghetti, boulettes de viande sauce tomate maison. Aussi un magret de canard farci aux pommes, sauce au jerez. Le soir, menu entrée-plat-dessert à un prix imbattable : 35$. Carte 40$.

No. 9 Park (B C5)
→ *9 Park St*
Tél. (617) 742-9991
Lun.-sam. 17h30-23h
Le restaurant phare de la triade du chef Barbara Lynch. Ses créations exclusives, comme les gnocchis farcis aux pruneaux et au foie gras poêlé, font l'unanimité des gourmets. Le reste de la carte, d'inspiration

. 9 PARK

FLAT OF THE HILL

KOO DE KIR

franco-italienne, est tout aussi louable. Pour une immersion totale, se lancer dans le menu dégustation (7 plats) 96$. Réservation impérative. À la carte 60$. Au café, plus décontracté, menu entrée-plat-dessert 45$.

Scampo (B B4)
→ *215 Charles St*
Tél. (617) 536-2100
Tlj. 11h30-14h30, 17h30-22h (23h jeu.-sam.)
Bar *Tlj. 17h30-0h*
Dans le Liberty Hotel, le nouveau et très prisé restaurant du célèbre chef Lydia Shine. Le menu fait la part belle aux saveurs italiennes : pizzas et copieuses pâtes maison, mais aussi des plats consistants comme la côte de porc *kurobata* avec sa tarte printanière à l'oignon. Ne pas manquer la mozzarella aux tomates et basilic du jardin. Carte 45$.

CAFÉS, SALON DE THÉ

The Paramount (B B5)
→ *44 Charles St*
Tél. (617) 720-1152
Lun.-ven. 7h-16h30, 17h-22h ; w.-e. 8h-16h30, 17h-23h (22h dim.)
Le café le plus fréquenté de Beacon Hill depuis 1937. Plus raffiné qu'un ordinaire *diner* (petit restaurant) de quartier, mais avec le même service chaleureux et de la bonne chère. *Buttermilk pancakes* très appréciées au petit déjeuner, *hanger steak* (onglet) *salad* au fromage bleu et oignons caramélisés assez consistante pour un dîner. Carte 15$.

Panificio (B B4)
→ *144 Charles St*
Tél. (617) 227-4340
Lun.-ven. 8h-21h30, w.-e. 9h-21h30 (21h dim.)
Difficile de résister aux délicieuses *focaccias* et pâtisseries saupoudrées de sucre de cette adorable petite boulangerie-café. Le lieu idéal pour un petit déjeuner ou un déjeuner tranquille et bon marché.

The Bristol au Four Seasons Hotel (B B6)
→ *200 Boylston St*
Tél. (617) 351-2037
Tlj. 6h30-23h30 (19h w.-e.)
Afternoon tea *Tlj. 15h-16h15*
Ici, l'*afternoon tea* est un must ! Demander une table près de la fenêtre pour admirer le Public Garden tout en dégustant de parfaits petits sandwiches et des scones accompagnés de *clotted cream*. Afternoon tea 28$.

SHOPPING

Wish (B B5)
→ *49 Charles St*
Tél. (617) 227-4441
Lun.-ven. 11h-19h, w.-e. 10h-17h (12h-17h dim.)
Un magasin sympa où les moins de trente ans viennent se fournir en vêtements BCBG (Theory, Nanette Lepore, Milly...) pour changer de Newbury Street.

Flat of the Hill (B B4)
→ *60 Charles St*
Tél. (617) 619-9977
Mar.-ven. 10h-18h (19h jeu.), w.-e. 10h-17h (12h dim.)
Tout est féminin et fun dans ce lieu, idéal pour dénicher des cadeaux : ceintures à strass, coussins brodés, cartes rigolotes, bougies de chez Slatkin et pochettes de Lauren Merkin.

Koo de Kir (B B5)
→ *65 Chestnut St*
Tél. (617) 723-8111
Lun.-ven. 11h-19h, w.-e. 10h-18h (12h dim.)
Difficile de résister aux objets éclectiques de cette boutique de déco dont le nom est une déformation de "coup de cœur", des bols gigognes en forme de salade aux tables de chevet aux effets miroir.

20th Century Limited (B B4)
→ *73 Charles St*
Tél. (617) 742-1031 Lun.-sam. 11h-18h, dim. 12h-17h
Toute cliente est une diva dans cette boutique de bijoux vintage qui se targue d'avoir son propre designer de diadèmes. Bracelets joncs des années 1950 en Bakélite, costumes, broches et chapeaux de style Jackie O.

Savenor's Market (B B4)
→ *160 Charles St*
Tél. (617) 723-6328
Lun.-sam. 11h-20h (10h sam.), dim. 12h-19h
Des chefs renommés comme Barbara Lynch font leurs courses dans cette extraordinaire boutique gastronomique où l'on trouve, entre autres mets, de la viande de chameau et d'alligator !

Good (B B4)
→ *88 Charles St*
Tél. (617) 772-9200
Lun.-ven. 11h- 19h, sam. 10h-18h, dim. 12h-17h
Design d'intérieur et accessoires sélectionnés avec soin, mais aussi trouvailles vintage. Ne pas manquer les verres décorés de gravures japonaises, les assiettes "decoupage" de John Derian, et les lampes chromées Art déco.

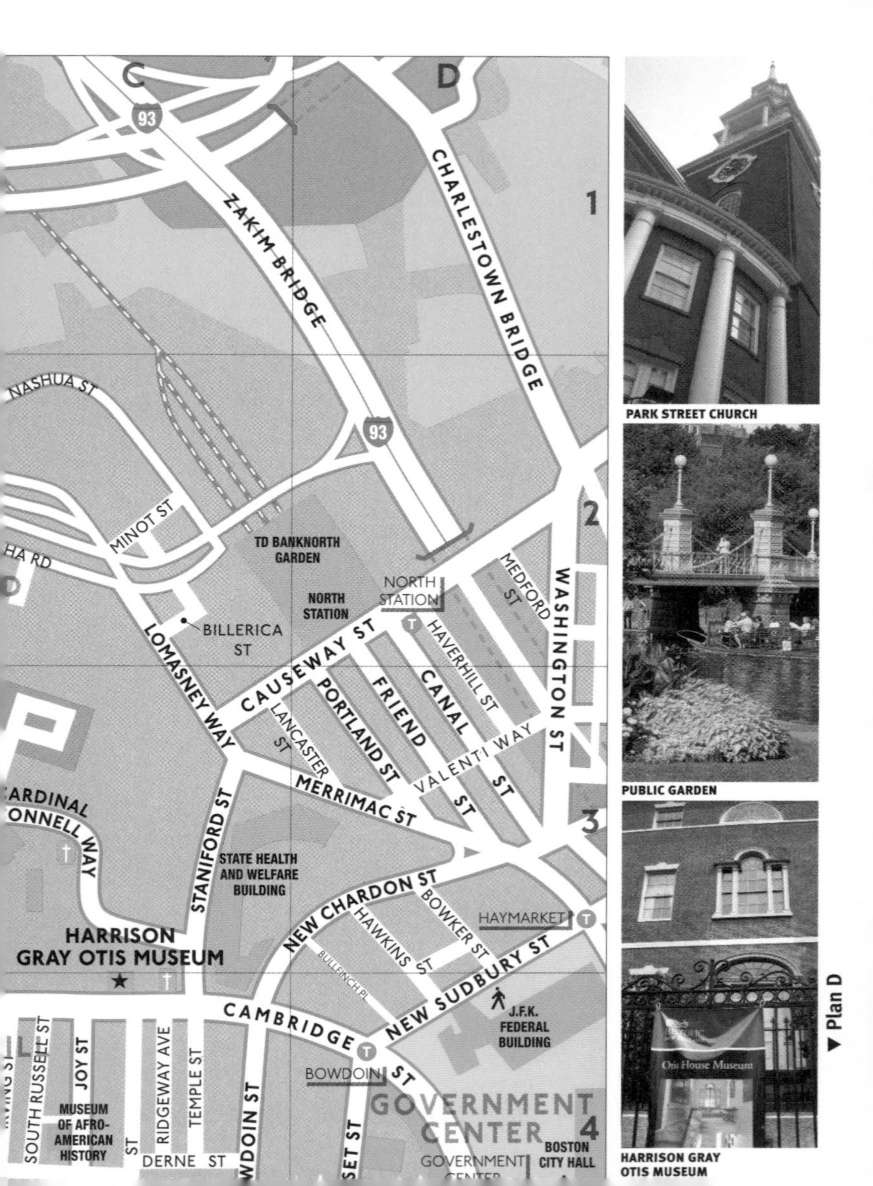

PARK STREET CHURCH

PUBLIC GARDEN

HARRISON GRAY OTIS MUSEUM

▼ Plan D

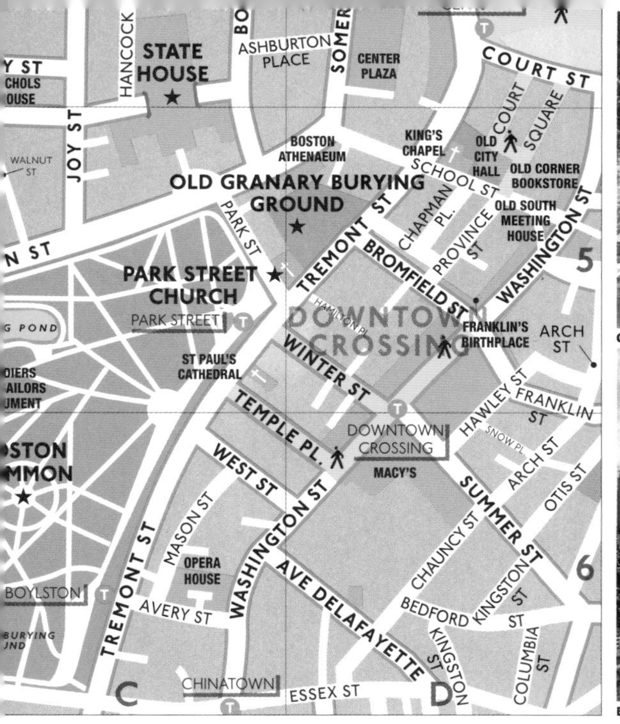

GRANARY BURYING GROUND

ESPLANADE AND HATCH SHELL

◀ Plan C

rythme tranquille et le
ɔpping haut de gamme
font un des meilleurs
ıx de flânerie de la ville.

Esplanade
d Hatch Shell (B A4-5)
parc suit les berges
Charles entre les ponts
Massachusetts Ave
Longfellow. Sentiers
ur joggeurs, petits étangs
ın centre de navigation
ıt le bonheur
s promeneurs. Dès
printemps, la scène
Hatch Memorial Shell
cueille des concerts
plein air, dont le plus
pulaire est sans doute
ui des Boston Pops
4 juillet, suivi d'un feu
d'artifice. Dès l'aube, des milliers de personnes se précipitent pour trouver un carré de gazon bien placé !

★ Park Street Church (B C5)
→ *1 Park St*
Messes tlj. 8h30, 11h, 16h et 18h
Bâti par la très controversée "Société du Progrès religieux", cet édifice à la silhouette familière devint une cache de poudre à canon pendant la guerre de 1812 et résonna du premier discours antiesclavagiste de William Lloyd Garrison. Au xixe siècle, le clocher, haut de 66 m, était le premier signal pour les voyageurs s'approchant de la ville.

★ Old Granary Burying Ground (B D5)
→ *Tremont St et Bromfield St*
Étape incontournable sur le Freedom Trail, ce petit cimetière de 1660 abrite les sépultures des géants de la Révolution américaine comme Paul Revere, Samuel Adams et John Hancock ainsi que des victimes du Boston Massacre de 1770.

★ Harrison Gray Otis Museum (B C4)
→ *141 Cambridge St*
Tél. (617) 227-3957 (x256)
Mer.-dim. 11h-16h30
Pour pénétrer l'univers élitiste d'un *Boston Brahmin*. Œuvre de Charles Bulfinch, l'hôtel particulier de Harrison Gray Otis, brillant avocat et politicien, brièvement maire de Boston, a été restauré minutieusement. Somptueux mobilier des XVIIIe-XIXe s.

★ Museum of Science (B A1)
→ *1 Science Park*
Tél. (617) 723-2500
Tlj. 9h-17h (21h ven.)
Expositions interactives autour de la science. Ne pas rater la démonstration de l'éclair, le tyrannosaure grandeur nature et le chantier de fouilles archéologiques interactif.

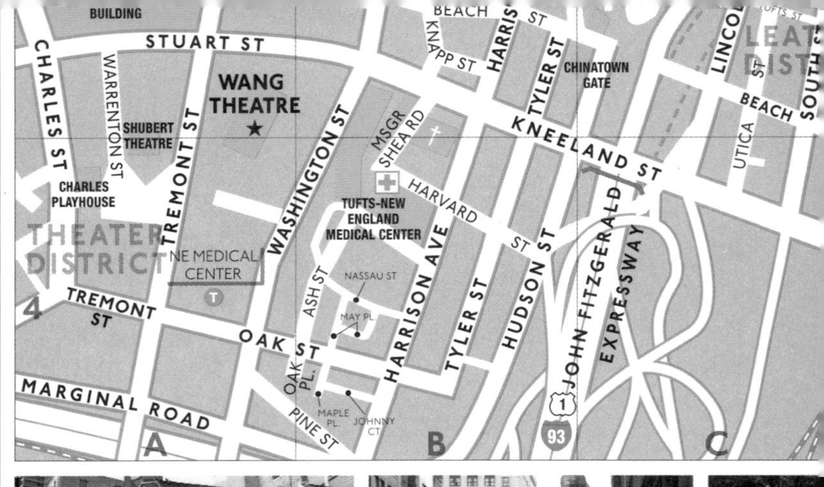

OLD CORNER BOOKSTORE

WANG THEATER

NORMAN B. LEVEN

★ **Children's Museum (C** F3)
→ *300 Congress St*
Tél. (617) 426-6500
Tlj. 10h-17h (21h ven.)
Un musée conçu à hauteur d'enfant, près de l'amusante bouteille de lait géante de la marque Hood. Les petits peuvent y monter leur propre pièce de théâtre, caracoler dans les trois niveaux du parcours ludique, et apprendre mille détails sur les autres enfants du monde.

★ **Opera House (C** B2)
→ *539 Washington St*
Tél. (617) 259-3400
Cet immeuble de style Beaux-Arts, construit en 1928, a servi de salle de théâtre, de cinéma et de concert avant de devenir un opéra. Dévasté par une violente innondation en 1978, il a été réhabilité en 2004 et accueille de nouveaux ballets et spectacles lyriques.

★ **Boston HarborWalk (C** F2)
→ *www.bostonharborwalk.com*
Dans le cadre de la réhabilitation des quais, une promenade publique de 75 km est en voie de construction entre Chelsea Creek et Neponset River : peu à peu, hôtels et restaurants fleurissent dans les quartiers de Fort Point Channel et de South Boston, autrefois négligés. Ne pas manquer les superbes espaces verts le long de Fort Point Channel, et, plus spectaculaire encore, le panorama de l'observatoire au 14e étage du 470, Atlantic Avenue.

★ **Chinatown (C** B3)
Les quelques rues qui forment ce quartier animé sont parsemées de restaurants exotiques et de boutiques regorgeant de denrées mystérieuses et de produits insolites.

★ **Old Corner Bookstore (C** C1)
→ *3 School St*
(Washington St et School St)
Tel. (617) 367-4004
Ce modeste bâtiment de 1712 – un des plus vieux Boston – fut le siège en 1836 et 1865 des édition Ticknor & Fields qui publièrent quelques-uns des auteurs américains plus célèbres, dont Ralp Waldo Emerson (1803-18 et Nathaniel Hawthorne (1804-1864). La librairie est aujourd'hui spécialis dans les livres de voyag

★ **Old South Meeting House (C** C1)
→ *310 Washington St*
Tél. (617) 482-6439 Tlj. 9h 17h (10h-16h nov.-mars)
Ancien temple protestar transformé en centre de

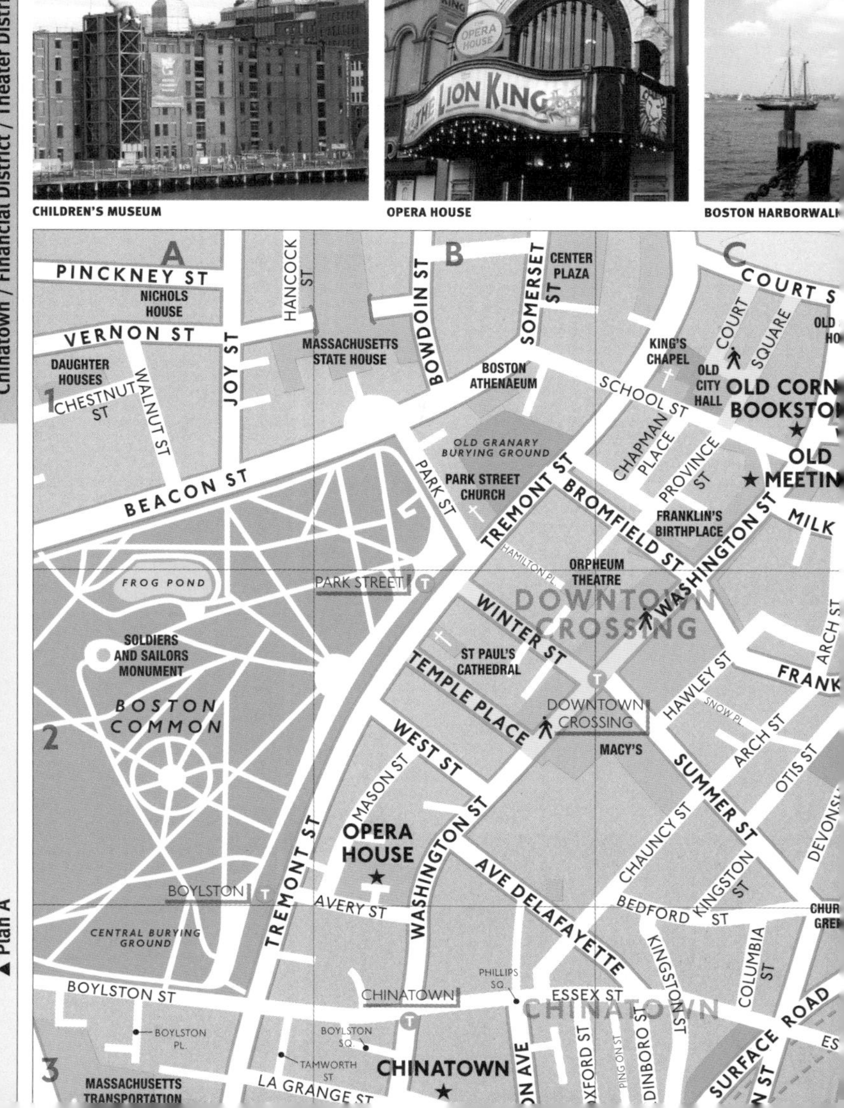

CHILDREN'S MUSEUM

OPERA HOUSE

BOSTON HARBORWALK

Au sud de Boston Common, Tremont Street devient Theater District, quartier très animé le soir avec ses grandes salles de spectacle. Quelques rues plus loin, Chinatown offre un vrai carnaval des sens – bribes de mandarin, odeur de canard rôti et étalages de légumes exotiques. L'immigration récente de Coréens, de Vietnamiens et de Japonais a ajouté à l'exotisme des lieux. À l'ouest de Chinatown, Leather District attire de plus en plus d'oiseaux de nuit. Quant à Downtown Crossing, il attire les clients à l'affût de bonnes affaires, tandis que le Financial District perd un peu de son sérieux grâce à de nouvelles tables et bars en vogue. Le projet en cours de Harbor Walk promet un accès plus facile aux quais.

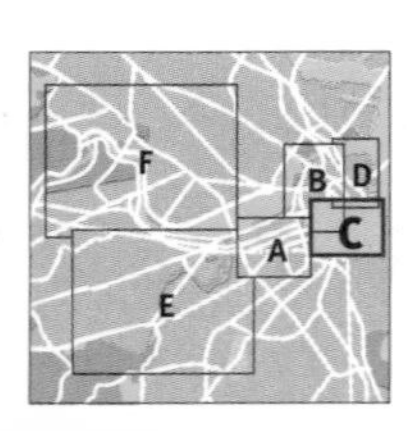

CHINA PEARL

RADIUS

Restaurants

China Pearl (C B3)
→ *9 Tyler St*
Tél. (617) 426-4338
Tlj. 8h30-23h
Le week-end, ce palais du *dim sum* est pris d'assaut par une foule d'amateurs de raviolis et de beignets chinois. Des chariots chargés de raviolis aux crevettes, de porc à la vapeur et de flans aux œufs font constamment le tour de la pièce. *Dim sum* autour de 4$ la pièce.

The Barking Crab (C F3)
→ *88 Sleeper St*
Tél. (617) 426-2722
Tlj. 11h30-23h (1h jeu.-sam.)
Restaurant de fruits de mer au bord de l'eau, avec vue imprenable sur Downtown. Dans un décor "village de pêcheurs" et au son des chansons de Jimmy Buffet, on se restaure de gâteaux de crabe et *clam chowder* (bisque de palourdes). Musique *live* fréquente. Carte 18$.

Ginza (C B4)
→ *16 Hudson St*
Tél. (617) 338-2261
Lun.-ven. 11h30-14h30, 17h-22h30 (3h30 ven.) ; sam. 16h-3h ; dim. 11h30-22h30
Les amateurs de sushis y apprécieront le poisson délicieusement frais. Les serveuses en kimono apportent sashimis et makis soigneusement roulés, plateaux de tempura croustillant et fruits de mer grillés. Très couru en fin de soirée. Carte 30$.

Teatro (C A3)
→ *177 Tremont St*
Tél. (617) 778-6841
Mar.-sam. 17h-22h30 (23h30 ven.-sam.), dim. 16h-22h
Ancienne synagogue à la haute voûte décorée. Excellentes pizzas à pâte fine et cuisine italienne nouvelle vague. Peut devenir très bruyant. Carte 40$.

Radius (C D2)
→ *8 High St*
Tél. (617) 426-1234 Lun.-ven. 11h30-14h30, 17h30-22h (23h ven.) ; sam. 17h30-23h
Le temple culinaire du chef Michael Schlow, lauréat de plusieurs prix, occupe le devant de la scène gastronomique. À tenter (quoique le menu change souvent), le sashimi de thon Ahi au tofu croustillant, la poitrine de porc tendre à souhait, et l'emblématique *cheesecake* au fromage de chèvre et aux myrtilles. Menus dégustations conseillés. Carte 55$.

KO Prime (C B1)
→ *90 Tremont St*
Tél. (617) 772-0202
Tlj. 8h-22h (6h30 sam.)
Un coin de bonne humeur à l'intérieur du très funky

E BARKING CRAB

JACOB WIRTH

BRATTLE BOOKSHOP

hôtel Nine Zero. Ici, on aime se jouer des classiques : filet mignon à la sauce *chimichurri* citronnée, épinards à la crème et au mascarpone ; pour les végétariens, légumes à gogo au bar à crudités. Carte 60$.

O Ya (C C-D3)
→ *9 East St*
Tél. (617) 654-9900 Mar.-sam. 17h-21h30 (22h ven.-sam.)
Le plus enthousiasmant des nouveaux restaurants de Boston ! Il attire les "foodies" en masse, dans un quartier d'ordinaire peu fréquenté. À la carte, sushis d'exception, nigiri créatifs, et quelques raretés tels le porc kurobuta, le bœuf wagyu ou le foie gras. L'ambiance est aussi feutrée que l'addition est salée mais le menu de dégustation omakase vaut bien une folie ! Carte 80$.

BARS, CAFÉS, BOÎTES DE NUIT

Sportello (C F3)
→ *348 Congress St*
Tél. (617) 737-1234 Lun.-ven. 11h30-22h (23h ven.), w.-e. 10h30-22h (23h sam.)
Barbara Lynch s'impose dans le sud de Boston avec ce lieu spacieux proposant des pâtes maison, des salades, mais surtout d'alléchantes pâtisseries servies au comptoir, à emporter. À essayer : ses fameux "light gnocchi" !

Caprice (C A4)
→ *275 Tremont St*
Tél..(617) 292-0080
Jeu.-sam. 22h-2h
Le bar et le restaurant du 1er étage sont bondés avant l'heure du théâtre, mais l'ambiance du lounge au deuxième étage chauffe après minuit. Plats franco-méditerranéens (jusqu'à 12h30).

Jacob Wirth (C A3)
→ *31-37 Stuart St*
Tél. (617) 338-8586
Tlj. 11h30-21h (22h mar.-jeu., 1h ven., 0h sam.)
Sur les hauteurs, et en bordure de Chinatown, une situation improbable pour un bar à bière allemand ! Cette véritable institution sert ses spécialités de bières et ses plats du "Vieux monde" – *bratwurst* et *wiener schnitzel* – depuis 1868. Le vendredi soir, les stars en herbe raffolent du karaoké.

Revolution Rock Bar (C E2)
→ *200 High St*
Tél. (617) 261-4200
Mar.-sam. 16h-2h (17h sam.)
Ou comment réveiller le Financial District... Un lounge bar sur deux niveaux, des ottomanes imprimées de vaches et des graffitis de designers au plafond. Concerts de groupes locaux, et DJ les ven. et sam. soirs. Les banquiers rusés préfèrent les mer. et jeu, pour éviter étudiants en délire et longues files d'attente. À partir de 10$.

Gypsy Bar (C A3)
→ *116 Boylston St*
Tél. (617) 482-7799 Jeu.-sam. 17h-2h, mer. 22h-2h
Des poissons fuchsia flottent dans des aquariums lumineux et donnent une ambiance irréelle à ce club ultra-branché. Attention : code vestimentaire strict. Autour de 10$.

THÉÂTRES

City Performing Arts Center (C A4)
→ *265-270 Tremont St*
Tél. (866) 348-9738
***Billetterie** Mar.-sam. 12h-18h www.citicenter.org*
Deux théâtres réunis sous l'égide de Citigroup. Point de repère architectural et référence des théâtres bostoniens, le Wang Theater accueille le Boston Ballet comme les comédies musicales et les humoristes. Quant à la "Petite princesse" du Theater District, le Schubert Theater – 1 600 places –, il programme les shows de Broadway et du Boston Lyric Opera.

SHOPPING

Brattle Bookshop (C B2)
→ *9 West St*
Tél. (617) 542 0210
Lun.-sam. 9h-17h30
Cachée dans une rue minuscule, entre des grossistes, cette librairie de trois étages est l'une des plus vieilles de Boston. Tables et étagères débordent de livres, de cartes et de revues. Impressionnante collection de livres rares et de premières éditions.

Van's Fabrics (C B3)
→ *14 Beach St*
Tél. (617) 423-6592
Tlj. 10h30-18h
Couturières et décorateurs initiés y vont pour le grand assortiment de soies et de tissus brodés.

Bina Alimentari (C B2)
→ *571 Washington St*
Tel. (617) 357-0888 Lun.-jeu. 8h-21h, w.-e. 10h-20h
L'épicerie du restaurant du Ritz-Carlton : pain maison, pâtisseries, pâtes importées et *jelly*, etc.

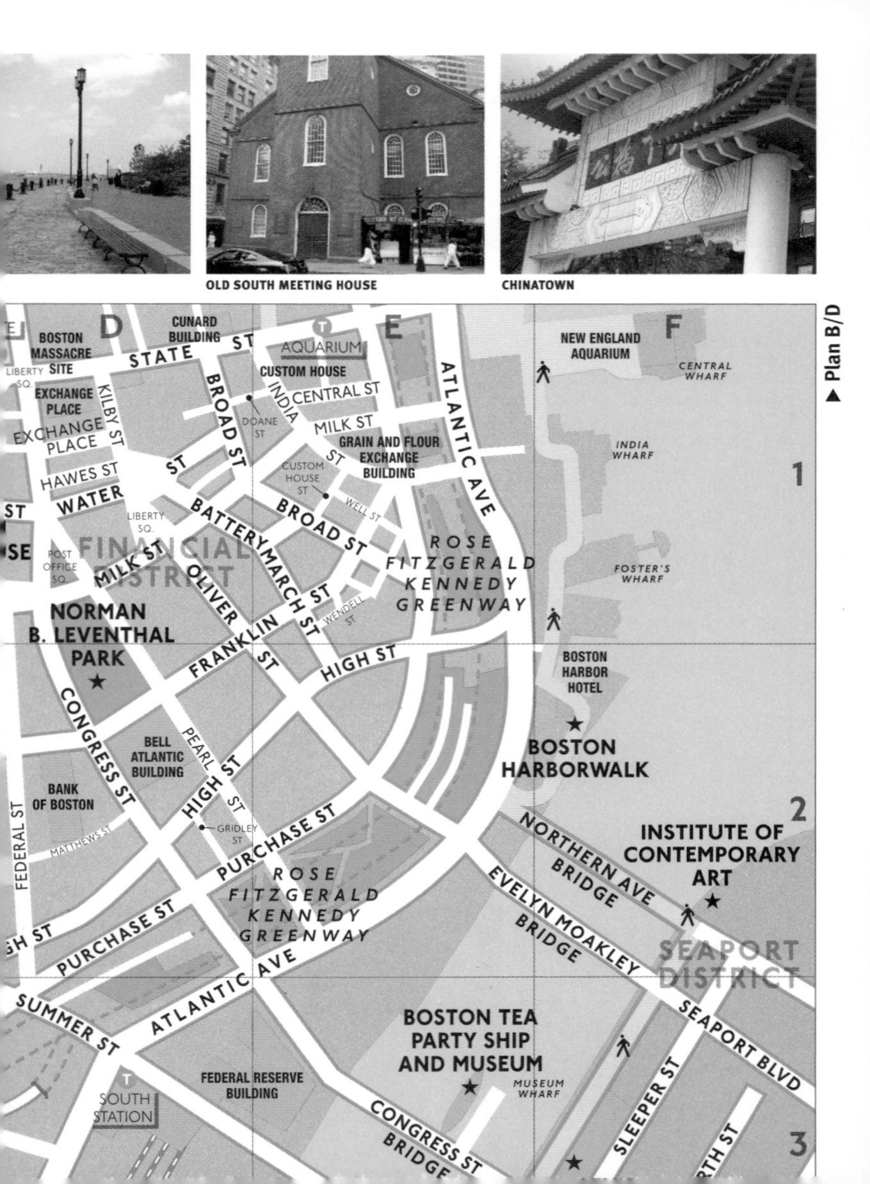
OLD SOUTH MEETING HOUSE
CHINATOWN
D
E
F
1
2
3
BOSTON MASSACRE SITE
LIBERTY SQ.
CUNARD BUILDING
STATE ST
AQUARIUM
CUSTOM HOUSE
NEW ENGLAND AQUARIUM
CENTRAL WHARF
EXCHANGE PLACE
KILBY ST
BROAD ST
INDIA ST
CENTRAL ST
DOANE ST
MILK ST
ATLANTIC AVE
GRAIN AND FLOUR EXCHANGE BUILDING
INDIA WHARF
CUSTOM HOUSE ST
HAWES ST
WATER ST
LIBERTY SQ.
WELL ST
BATTERYMARCH ST
BROAD ST
ROSE FITZGERALD KENNEDY GREENWAY
FINANCIAL DISTRICT
POST OFFICE SQ.
MILK ST
OLIVER ST
FOSTER'S WHARF
NORMAN B. LEVENTHAL PARK
FRANKLIN ST
WENDELL ST
HIGH ST
BOSTON HARBOR HOTEL
CONGRESS ST
BELL ATLANTIC BUILDING
PEARL ST
BOSTON HARBORWALK
BANK OF BOSTON
HIGH ST
FEDERAL ST
MATTHEWS ST
GRIDLEY ST
PURCHASE ST
NORTHERN AVE BRIDGE
INSTITUTE OF CONTEMPORARY ART
EVELYN MOAKLEY BRIDGE
PURCHASE ST
SEAPORT DISTRICT
SUMMER ST
ATLANTIC AVE
BOSTON TEA PARTY SHIP AND MUSEUM
SEAPORT BLVD
FEDERAL RESERVE BUILDING
MUSEUM WHARF
SOUTH STATION
SLEEPER ST
CONGRESS ST BRIDGE
▶ Plan B/D

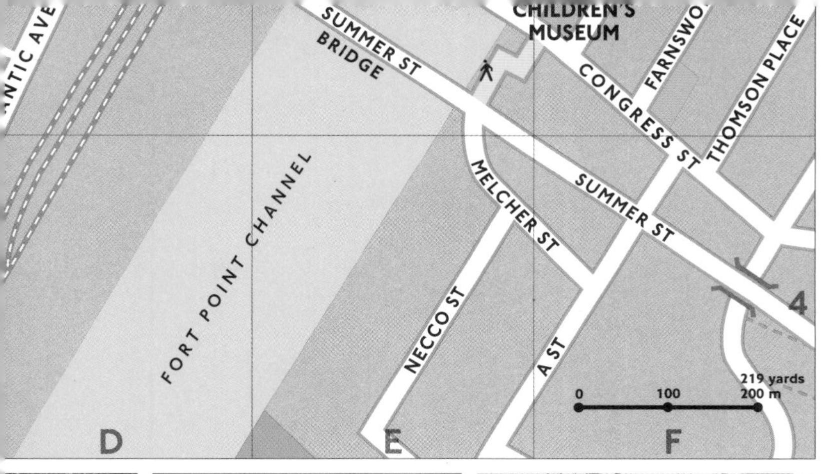

INSTITUTE OF CONTEMPORARY ART

BOSTON TEA PARTY SHIP AND MUSEUM

ssemblement pendant
Révolution américaine ;
est célèbre pour avoir été
point de départ, en 1777,
la manifestation
i précéda la Boston Tea
rty. Une exposition
eractive retrace l'histoire
ce lieu de débat public.

Wang Theater (C A3)
268 Tremont St
. (617) 482-9393
w.citicenter.org
spiré du palais Garnier,
Metropolitan Theater,
ec ses colonnes en
rbre et miroirs à dorures,
nnut son heure de gloire
ns les années 1920.
mbé en désuétude, il fut
abilité en 1983, grâce
à un don du Dr An Wang. Rebaptisé Wang Center, il abrite une salle polyvalente de 3 700 places et les quartiers du Boston Ballet.

★ Norman B. Leventhal Park (C D2)
→ *Entre Pearl St et Congress St*
Ce petit carré de verdure dans la jungle urbaine du Financial District est souvent cité comme exemple réussi d'urbanisme. Un parking a été transféré en sous-sol pour permettre la réalisation du projet ; ses revenus servent à l'entretien du parc, à voir pour ses fontaines, ses œuvres d'art à ciel ouvert et ses 125 variétés de plantes.

★ Institute of Contemporary Art (C F2)
→ *200 Northern Ave*
Tél. (617) 478-3100
Mar.-dim. 10h-17h (21h jeu.-ven.) www.icaboston.org
Ce nouvel espace de 600 m², conçu en porte à faux au-dessus du port de Boston par Diller Scofidio et Renfro et inauguré en 2006, est le seul endroit de la ville exclusivement voué à l'art contemporain. Sa collection permanente, sans cesse en expansion, réunit des artistes qui montent, de Cornelia Parker à Tara Donovan. Également des expositions temporaires de grande envergure, projections de documentaires, ateliers pour les enfants, et concerts gratuits l'été à l'extérieur.

★ Boston Tea Party Ship and Museum (C E3)
→ *Congress Street Bridge*
www.bostonteapartyship.com
Le site de la célèbre rébellion a été fermé après un incendie. À la réouverture, prévue en 2011, deux nouveaux navires, le Darsmouth et l'Eleanor, viendront rejoindre la réplique du Brig Beaver, installée dans le port.

NEW ENGLAND AQUARIUM

NEW ENGLAND AQUARIUM

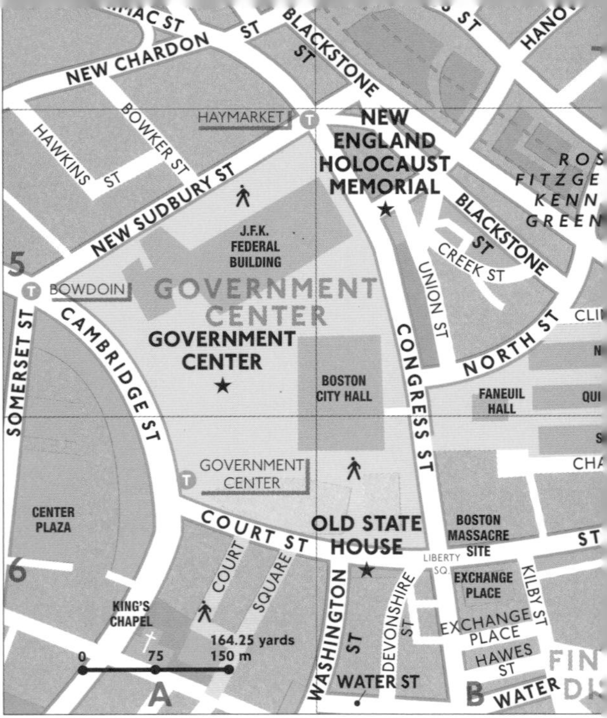

★ Old North Church (D C3)
→ *193 Salem St*
Tél. (617) 523-6676
Tlj. 9h-17h (18h juin-oct.)
Le 17 avril 1775, le sacristain Robert Newman allume deux lanternes dans le clocher de cette église georgienne (1723) pour signaler l'arrivée des troupes britanniques par la mer. Ce geste, à l'origine de la chevauchée de Paul Revere, marque le début de la Révolution américaine.

★ Paul Revere House (D C4)
→ *19 North Square*
Tél. (617) 523-2338 Tlj. 9h30-17h15 (16h15 nov.-avr.)
Le héros révolutionnaire a vécu dans cette modeste maison (1680) de bois à deux étages. L'intérieur reconstitue un logement de l'époque.

★ Copp's Hill Burying Ground (D B2)
→ *Hull St*
Tél. (617) 357-8300
Tlj. 9h-17h
Ce vieux cimetière de marchands et artisans du North End occupe un terrain surélevé dominant le fleuve Charles et bénéficie d'une vue superbe. Pendant la bataille de Bunker Hill, les troupes britanniques s'y positionnèrent pour bombarder Charleston.

★ Old State House (D B6)
→ *206 Washington St*
Tél. (617) 720-1713
Tlj. 9h-17h (16h jan., 18h août)
Un mémorial colonial dans une forêt de gratte-ciel. C'est du balcon de cet édifice de 1713, le plus vieux de la ville, que fut lue la Déclaration d'indépendance pour la première fois. Devenu le Museum of Boston History, on peut y voir le manteau de John Hancock et du thé rescapé de la Boston Tea Party. Une exposition permanente retrace l'histoire du Massachusetts, de l'époque coloniale au Commonwealth. À proximité, une plaque désigne le lieu du Boston Massacre (1770).

★ New England Aquarium (D D6)
→ *Central Wharf*
Tél. (617) 973-5200
Lun.-ven. 9h-17h (18h juil.-sep.), w.-e. 9h-18h (19h juil.-sep.) ***IMAX*** *Tlj. 9h30-21h30*
Relativement petit mais fourmillant d'activités, l'aquarium est conçu aut d'un énorme réservoir cylindrique d'eau salée d trois étages où nagent to genres de poissons, dont des requins. Un parcours ascendant permet d'en explorer tous les niveaux (essayer d'assister aux repas). Spectacles d'otar

◀ Plan C

PAUL REVERE HOUSE

COPP'S HILL BURYING GROUND

OLD NORTH CHURCH

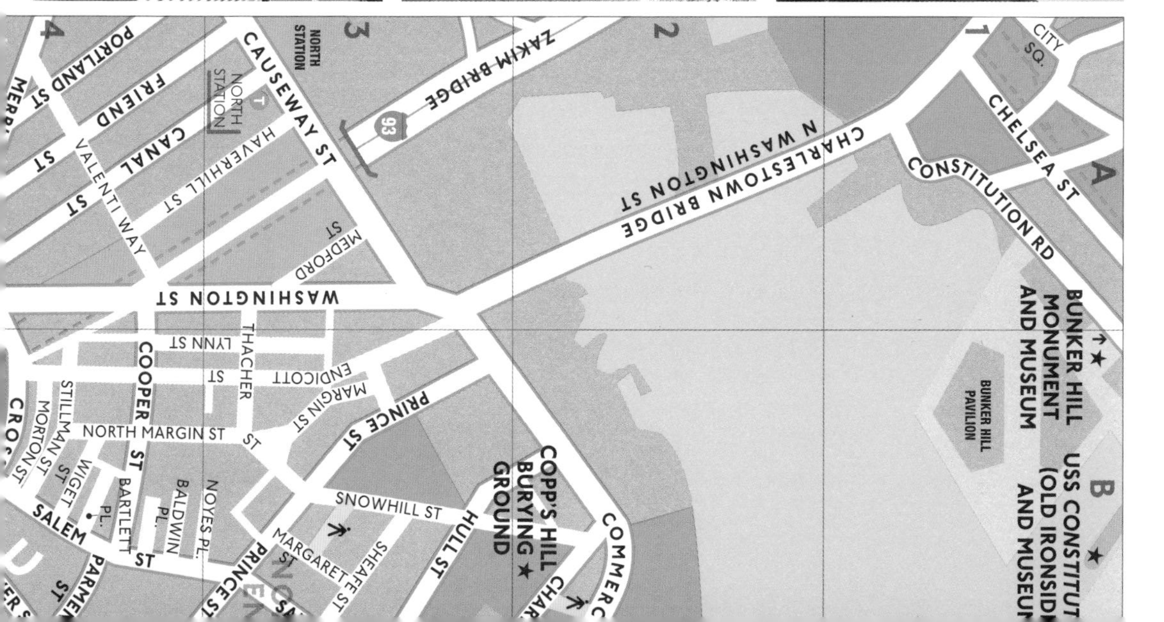

L'essentiel des monuments de la Révolution américaine s'égrène le long du Freedom Trail, entre Government Center et les quais. Faneuil Hall, délibérément kitsch, en reste l'un des témoignages importants. Tout près, le *food court* de Quincy Market offre un petit intermède gourmand. Longtemps séparé de Downtown Boston par le tristement célèbre Big Dig – immense projet autoroutier souterrain –, la petite enclave italienne du North End connaît, depuis la fin des travaux en 2006, une fréquentation croissante : jeunes chefs à la recherche de produits authentiques, gourmets en quête des meilleurs gnocchis et accros de vrais expressos. Ce quartier, le plus vieux de Boston, raconte aussi certains moments clés de l'histoire de la ville.

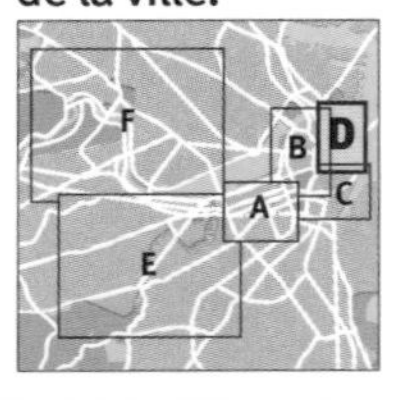

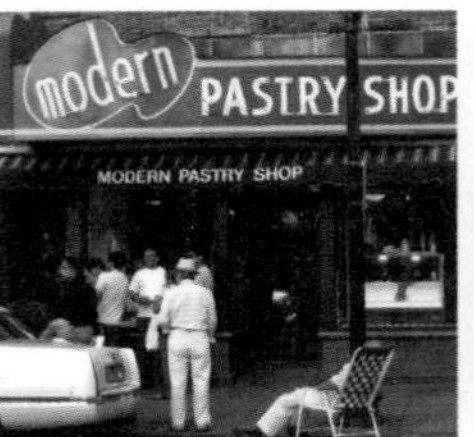

MODERN PASTRY

LUCCA

RESTAURANTS

Pizzeria Regina (D B3)
→ *11 1/2 Thacher St*
Tél. (617) 227-0765
Tlj. 11h30-22h (12h dim.)
Une pâte croustillante, très légèrement carbonisée et de la sauce tomate fraîche donnent à cette pizza un goût exceptionnel. Pizzas 11-18$.

Union Oyster House (D B5)
→ *41 Union St*
Tél. (617) 227-2750 Tlj. 11h-21h30 (22h ven.-dim.)
Le plus vieux restaurant du pays sert *steamers* (bouillon) et *chowder* depuis 1826. Jeter un coup d'œil au box préféré de John F. Kennedy au 2e étage. Carte 30$.

Neptune Oyster (D B4)
→ *63 Salem St*
Tél. (617) 742-3474
Tlj. 11h30-21h30 (22h30 ven.-sam.) ***Raw Bar*** *Tlj. 11h30-22h30 (23h30 ven.-sam.)*
Le rendez-vous chic de ceux qui font la mode. S'asseoir à l'imposant comptoir en marbre pour déguster des mets légers : palourdes frites avec très peu de graisse, huîtres *po'boys* (en sandwich) et *lobster rolls* (petits pains au homard). Et... des dizaines de variétés d'huîtres ! Carte 30$.

Legal Seafoods (D C6)
→ *255 State St*
Tél. (617) 742-5300
Tlj. 11h-22h (23h dim.)
Ce poissonnier de Cambridge est devenu une institution locale avec plus de 30 restaurants sur la côte Est. Décor banal mais fruits de mer excellents. Essayer le *clambake* (barbecue de fruits de mer) suivi d'une *Boston cream pie* (tarte à la crème). Carte 35$.

Lucca (D B4)
→ *226 Hanover St*
Tél. (617) 742-9200
Tlj. 17h-0h15 (1h au bar)
Lumière tamisée et plats raffinés pour cet italien élégant. Essayer les gnocchi maison et le sanglier braisé. Belle carte de vins d'Italie. Carte 40$.

Bricco (D B4)
→ *241 Hanover St*
Tél. (617) 248-6800 Tlj. 17h-2h
Une des meilleures adresses du North End, aux tarifs proportionnels à la réputation. Excellents et précieux produits, tels les truffes noires, le porc kurobuta, la pancetta ou les *microgreens* (jeunes pousses de légumes) bio. Trouver une table près des baies vitrées pour observer Hanover Street en dégustant un gâteau au chocolat noir Valrhona. Carte 50$.

GAL SEAFOODS

IN-JEAN-LUS

CHEERS

Sensing (D C3)
→ *5 Battery St*
Tel. (617) 994-9001
Lun.-ven. 6h30-11h, 11h30-13h30, 17h30-22h ; w.-e. 6h30-14h30, 17h30-22h ***Bar*** *Tlj. 13h30-23h*
Dans l'hôtel Fairmont Battery Wharf, le premier restaurant de Guy Martin à Boston. Saveurs vives, compositions travaillées et… prix élevés. Carte 55$.

BARS, MUSIQUE

Caffe Vittoria (D C4)
→ *296 Hanover St*
Tél. (617) 227-7606
Tlj. 7h-0h (0h30 ven.-sam.)
Ce café souvent bondé présente l'avantage d'une bonne ambiance et d'un excellent expresso.

Stanza dei Sigari (D C4)
→ *292 Hanover St*
Tél. (617) 227-0295 Tlj. 12h-1h
Banquettes en cuir, cigares vintage et gentlemen d'âge mûr… ce *cigar bar* est l'un des rares lieux pour fumeurs de Boston. En plus de la grande variété de cigares, narguilés et puissants cocktails.

The Living Room (D C5)
→ *101 Atlantic Ave*
Tél. (617) 723-5101 Tlj. 11h-0h
Canapés douillets et voilages violets donnent à ce *lounge* un air d'appartement. Les banquiers bien mis du Financial District tout proche s'y retrouvent en soirée autour de martinis et d'une cuisine de bar raffinée. Le dim., les "pyjamas brunch" remportent un grand succès.

Cheers (D B5)
→ *South Canopy, Quincy Market. Tél. (617) 227-0150*
Tlj. 12h-2h (11h30 ven.-sam.)
Les fans de Cheers, série diffusée depuis la nuit des temps, trouveront sans doute à redire à l'authenticité des lieux (le vrai Cheers est un bar ordinaire de Beacon Hill), mais ce bistro kitsch et rigolo offre une halte idéale.

The Purple Shamrock (D B5)
→ *1 Union St*
Tél. (617) 227-2060 Tlj. 11h-2h
Ce bar irlandais, aux abords de Faneuil Hall, attire une foule de jeunes gens et d'étudiants, surtout le w.-e. Chaque semaine, soirées quizz, karaoké et concerts de groupes de rock locaux.

SHOPPING

In-Jean-Lus (D C3)
→ *441 Hanover St*
Tél. (617) 523-5326
Lun.-sam. 11h-18h (19h sam.), dim. 12h-17h
Un "denim atelier" branché pour découvrir toutes les marques de jeans qui comptent : Citizen of humanity, Hudson, ou les lignes cultes Loomstate Organic et Anlo. Aussi des tee-shirts de créateurs et des accessoires.

Salumeria Italiana (D C4)
→ *151 Richmond St*
Tél. (617) 523-8743
Lun.-sam. 8h-18h
Lorsque cette épicerie du North End ouvrit ses portes en 1962, elle était la seule à vendre de l'huile d'olive vierge de première extraction. Ce n'est plus le cas aujourd'hui mais les connaisseurs font encore la queue pour les truffes italiennes noires et blanches, la *bottarga di tonno* et le vinaigre balsamique.

Modern Pastry (D C4)
→ *257 Hanover St*
Tél. (617) 523-3783 Tlj. 8h-22h (23h ven., 0h sam.)
Lorsqu'il y a trop de monde chez Mike's Pastry, il suffit de traverser la rue jusqu'à cette sympathique boutique familale. Les coques croustillantes des *cannoli* sont remplies de ricotta fraîche à la demande. Grand choix de pâtisseries et de biscuits italiens. La spécialité maison est le nougat au miel et aux amandes.

Shake the Tree Gallery (D B4)
→ *67 Salem St*
Tél. (617) 742-0484 Lun.-ven. 11h-19h (18h lun., 20h ven.), sam. 10h-20h, dim. 12h-18h
Boutique *hype* proposant une sélection ultrapointue de vêtements (robes Shoshanna et Plenty by Tracy Reese, basiques de chez Velvet et Splendid) et des idées cadeaux : produits de beauté Red Flower, livres de cuisine, sacs Tano.

Faneuil Hall and Quincy Market (D B5-B6)
→ *Faneuil Hall, 15 State St*
Tlj. 9h-17h
→ *Quincy Market, Chatham St*
Lun.-sam. 10h-21h, dim. 12h-18h
Un centre commercial à la Disney. Faneuil Hall, ancien temple de l'époque coloniale, collectionne les stands de souvenirs, tandis que Quincy Market abrite un long *food court*. Tout autour s'alignent des dizaines de boutiques comme Crate & Barrel, Godiva ou Urban Outfitters.

Faneuil Hall Shop
→ *South Canopy, Quincy Market Tél. (617) 720-3284*
Tlj. 10h-18h
Idéal pour s'acheter des souvenirs ou du *salt water taffy* (caramels).

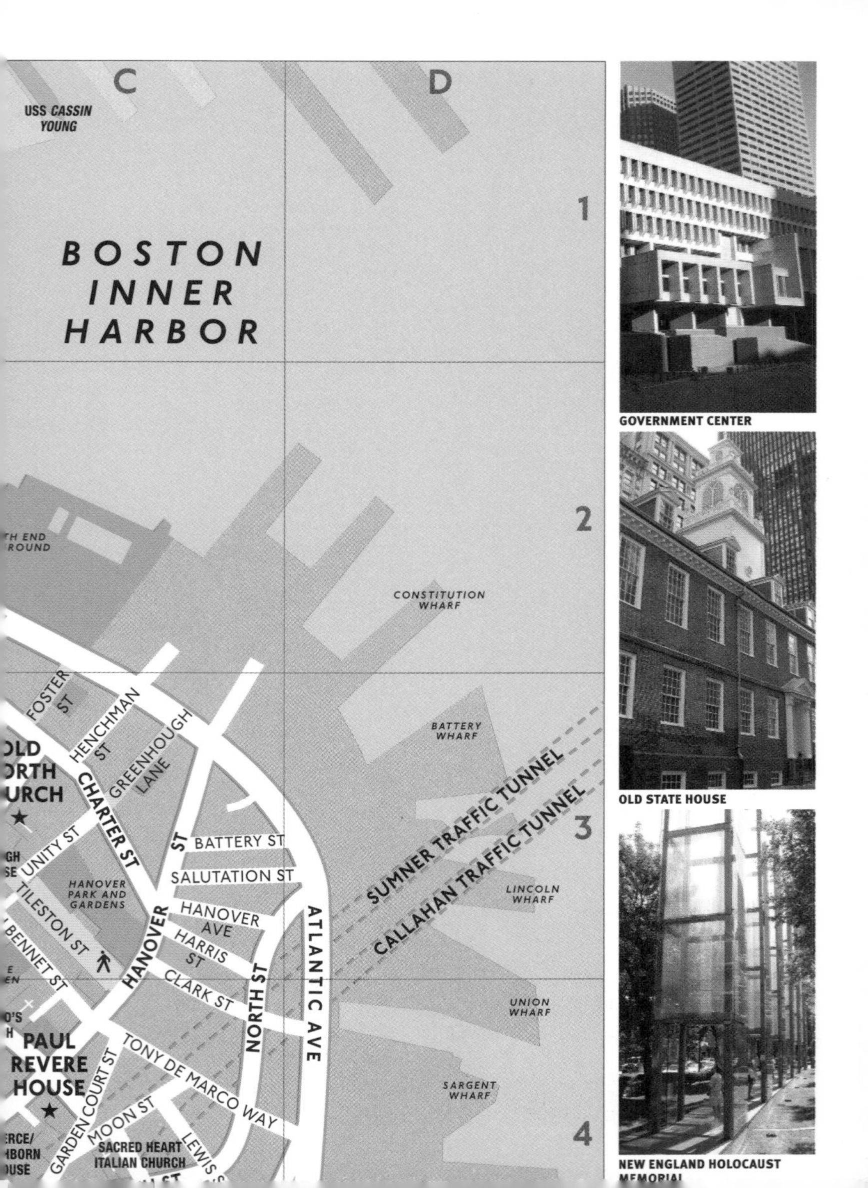

GOVERNMENT CENTER
OLD STATE HOUSE
NEW ENGLAND HOLOCAUST MEMORIAL

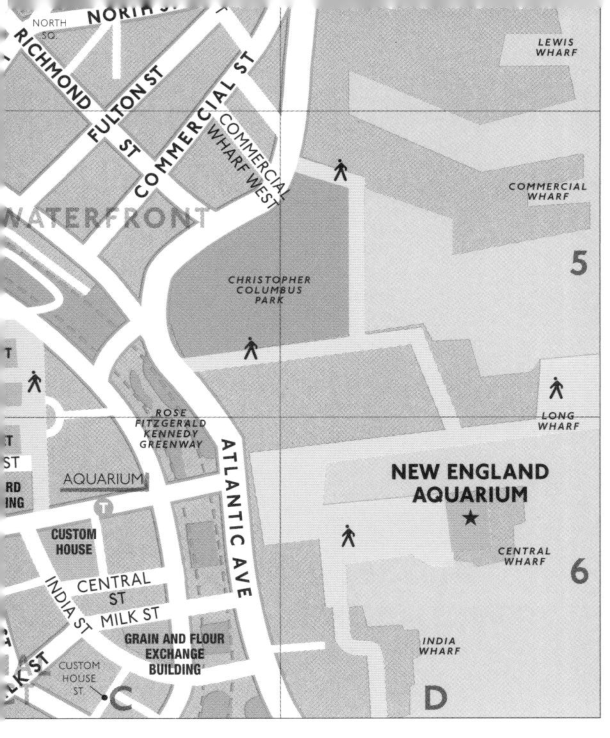

USS *CONSTITUTION*

BUNKER HILL MONUMENT

◀ Plan C

s les jours et excursions
bservation de baleines
saison. Films dans
salle de cinéma IMAX.

USS *Constitution* d Museum (D B1)
Charlestown Navy Yard
(617) 426-1812
9h-18h (10h-17h nov.-avr.)
nière visite 1h30 avant la
*neture **Musée** Tlj. 9h-18h*
h-17h nov.-avr.)
résistance de ce navire guerre aux canons glais lors de la bataille 1812 lui a valu le surnom Old Ironsides (Vieux ncs de fer) malgré coque en bois. C'est le yen des navires de guerre core au mouillage. Visites de 30 à 40 min, aussi intéressantes qu'amusantes, guidées par des marins de l'US Navy en costume d'époque. Le musée adjacent retrace l'histoire et la vie à bord du vaisseau à travers 3 000 objets de marine et des activités interactives.

★ New England Holocaust Memorial (D B5)
→ *Carmen Park, sur Congress Street près de Faneuil Hall*
Tél. (617) 457-8755
Le mémorial lyrique de Stanley Saitowitz n'a rien à voir avec l'agitation de Faneuil Hall. Un chemin en granit noir traverse six structures en verre de 16,5 m placées au-dessus de six chambres sombres symbolisant les camps de la mort. Six millions de numéros gravés sur les murs rappellent le terrible coût humain de l'Holocauste.

★ Bunker Hill Monument and Museum
(hors carte **D** B1)
→ *Tél. (617) 242-5641*
Tlj. 9h-16h30
À cet endroit, William Prescott donne le 17 juin 1775 aux insurgés américains, inférieurs en nombre aux troupes britanniques, l'ordre devenu célèbre : “Ne tirez que lorsque vous aurez vu le blanc de leurs yeux.” La bataille s'avéra décisive dans la guerre de l'Indépendance et est commémorée par un obélisque de granit de 67 m de haut – pour les amateurs, 294 marches... Dans le nouveau musée (2007), cyclorama sur la contribution des soldats indigènes et afro-américains.

★ Government Center (D A5)
→ *City Hall et City Hall Plaza*
Conçu par I. M. Pei dans les années 1960, le projet, censé revitaliser le quartier de Scollay Square, est considéré comme un échec. City Hall Plaza, dénuée d'espace vert, dégage une aridité minérale exacerbée par la proximité du massif Boston City Hall.

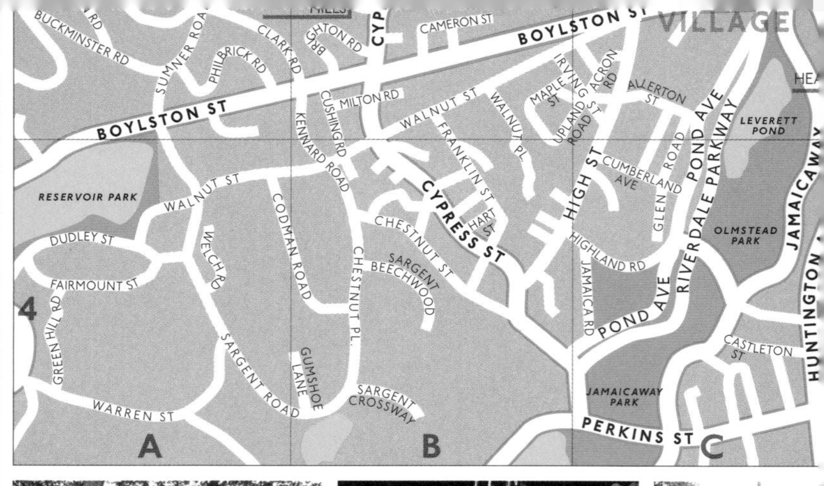

KENNEDY NATIONAL HISTORICAL SITE

COOLIDGE CORNER (THEATER)

COOLIDGE CORNER

★ **Fenway Park (E** E1)
➔ *Tél. (877) 733-7699 (billets)*
Tél. (617) 226-6666
Visites guidées tlj. 9h-16h (15h basse-saison)
Les admirateurs de l'équipe de Baseball des Boston Red Sox ont été traités de masochistes, maniaco-dépressifs et fanatiques. Mais, les supporters des Red Sox sont fiers de leur obsession : ils ont une mythologie, la malédiction du Bambino (le départ de Babe Ruth chez les New York Yankees), un hymne, *Sweet Caroline*, et bien sûr, un lieu de culte, Fenway Park. La visibilité y est excellente – même aux places les moins chères – et l'enthousiasme des fans contagieux. L'excitation atteint son paroxysme les jours de grands matchs, mais rien ne pourra égaler la folie qui s'est emparée du stade le 27 octobre 2004, jour où l'équipe y a remporté sa première victoire en 86 ans ! Des concerts de rock y ont également lieu.

★ **Museum of Fine Arts (E** E2)
➔ *465 Huntington Ave*
Tél. (617) 267-9300
Tlj. 10h-16h45 (9h45 mer.-ven.)
www.mfa.org
Un écrin néoclassique pour l'un des plus grands musées des États-Unis, célèbre pour sa collection de plus de 450 000 œuvres : antiquités égyptiennes, tableaux d'impressionnistes (Degas, Monet, Manet...) et de peintres américians dont Sargent, collection Morse de poterie japonaise et bien plus encore. Le musée fait l'objet d'une importante rénovation : il a gagné 15 000 m² en 2010.

★ **Isabella Stewart Gardner Museum (E** E2)
➔ *280 Fenway*
Tél. (617) 566-1401
Mar.-dim. 11h-17h
Fervente collectionneuse d'art et globe-trotter, Isabella Stewart Gardner fonda ce musée en 1903 pour y exposer sa collecti de peintures, sculptures et arts décoratifs qui incl des œuvres de Rembran Botticelli, Titien et Verme L'édifice de trois étages, inspiré par un palais itali du XVe siècle, s'articule autour d'une cour intérie plantée. Le Café qui donr sur le jardin est très cour pour son cadre idyllique et ses excellents desserts Les emplacements vides sur les murs corresponde à treize tableaux cambrio en 1990... On n'a pas enc retrouvé les auteurs du v

★ **Back Bay Fens (E** F2)
Créateur de Central Park à New York, Frederick Law

FENWAY PARK

ISABELLA STEWART GARDNER MUSEUM

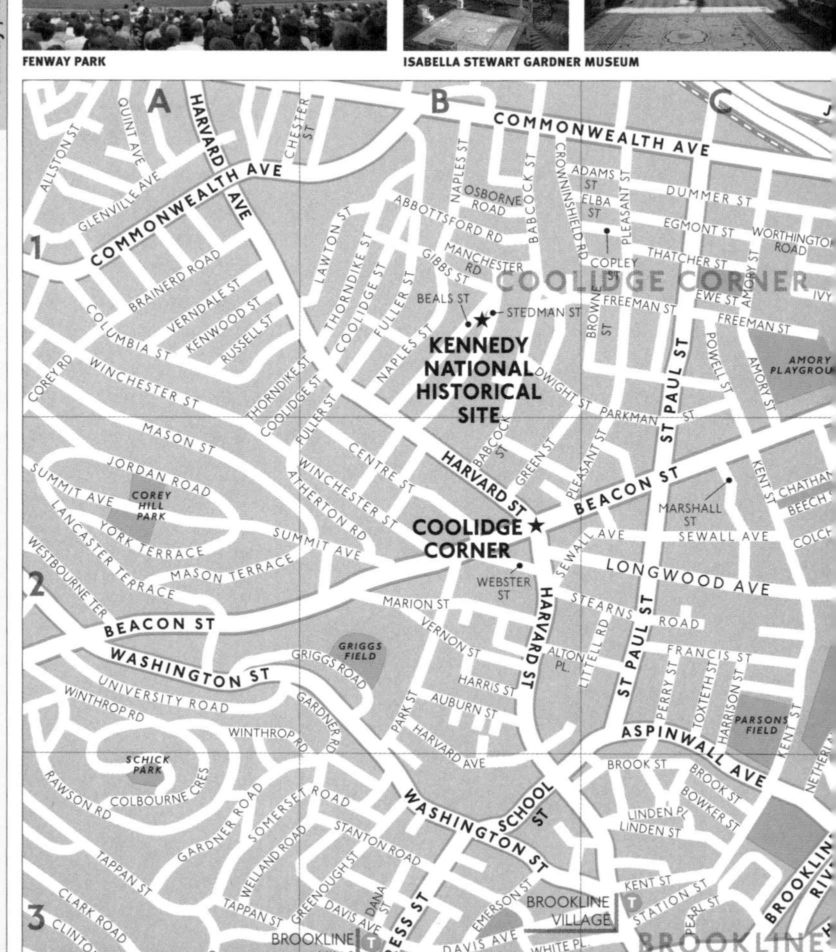

Au sud-est de Back Bay, les Back Bay Fens, souvent négligés, font partie de l'Emerald Necklace ("Collier d'émeraudes") de Frederick Law Olmstead : une succession d'espaces verts reliés entre eux à travers la ville. Les Fens se situent entre deux extrêmes culturels : au sud, deux musées d'art exceptionnels et au nord, une mer de casquettes et de fanions de base-ball qui s'agite au rythme de Fenway Park ! L'enseigne en néon Citgo au-dessus du stade est devenue le symbole des fans des Red Sox, qui donnent au quartier un air de carnaval pendant toute la saison. Brookline, quartier résidentiel agréable et plutôt familal n'est qu'à quelques stations de métro.

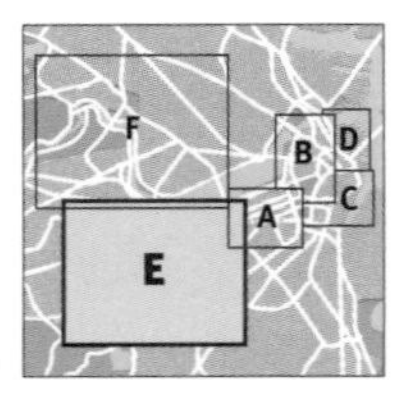

EASTERN STANDARD

CASK N' FLAGON

RESTAURANTS

Zaftigs (E B2)
→ *335 Harvard St*
Tel. (617) 975-0075
Tlj. 8h-22h
Généreuses portions de spécialités juives revues et corrigées : couscous israélien au fenouil, canneberges séchées et noix, ou crêpes au muesli servies avec du beurre de dattes. Carte 15$.

La Verdad (E E1)
→ *1 Landsdowne St*
Tél. (617) 421-9595
Tlj. 11h-1h (2h ven.-sam.)
Cuisine mexicaine à se damner et ambiance pimentée, dans cette *taqueria* (restaurant de *tacos*) récemment ouverte par le chef-star Ken Oringer. *Tortas* (sandwichs) chaudes fourrées de délicieuse viande grillée, de fromage de Oaxaca et d'avocat, généreuses assiettes de *tacos* de poisson, *churros* croustillants à la sauce aux épices chocolatée... Quelques pichets de margarita, et la soirée sera plus folle ! Carte 20 $.

Petit Robert Bistro (E E1)
→ *468 Commonwealth Ave*
Tél. (617) 375-0699
Tlj. 11h-23h
Un parfum de "Rive gauche" à Kenmore Square, grâce au chef Jackie Robert. Délicieux et abordables plats de bistro classiques, comme le poulet rôti et le bœuf bourguignon. En bas, pâtisseries fines, dont une île flottante aérienne et un fondant au chocolat. Carte 25$.

Elephant Walk (E D1)
→ *900 Beacon St*
Tél. (617) 247-1500
Dim.-ven. 11h30-14h30, 17h-22h (23h ven.) ; sam. 17h-23h
Au menu élaboré, des plats français et cambodgiens, les derniers étant plus intéressants. Tenter la morue noire au beurre nappée de sauce soja à l'ail. Carte 35$.

Fugakyu (E C2)
→ *1280 Beacon St*
Tél. (617) 738-1268
Lun.-sam. 11h30-1h30, dim. 12h-1h30
Sur un canal miniature autour du bar, flottent des bateaux remplis de sushis... Un peu kitsch, mais les sashimis – dont celui très convoité à la ventrèche de thon – sont de première fraîcheur. Non moins délicieux, les plats cuits (shabu-shabu, porc katsu). Carte 35$.

RRY REMY'S SPORTS BAR AND GRILL

YAWKEY WAY

MAGIC BEANS

Eastern Standard (E E1)
→ *528 Commonwealth Ave*
Tél. (617) 532-9110
Lun.-sam. 7h-10h30, 11h30-14h30, 17h-23h (0h sam.) ; dim. 10h30-15h, 17h-0h
À l'intérieur de l'élégant Hotel Commonwealth, cette brasserie sert des classiques français : salade niçoise, cassoulet, et une sélection d'abats différente chaque jour. Pâtes maison et succulents desserts complètent la carte. Les cocktails sont parmi les meilleurs de la ville. Carte 40$.

BARS, GLACIER, BILLARD

J. P. Licks (E B2)
→ *311 Harvard St*
Tél. (617) 738-8252
Tlj. 10h-0h
Les fanatiques de glaces ne jurent que par cette adresse : des murs tapissés d'amusants motifs de vaches, et un personnel qui ne rechigne pas à faire goûter tous les parfums : "coffee-oreo" fait l'unanimité, et "soft yoghurt" se déguste (presque) sans complexe.

Jerry Remy's Sports Bar and Grill (E E1)
→ *1265 Boylston St*
Tél. (617) 236-7369
Tlj. 11h-2h
On trouve ici tous les composants du bar sportif : écrans géants, burgers copieux et juteux, et 20 bières à la pression (dont la Delirium Tremens et la Rouge Dead Guy Ale).

Cask'n' Flagon (E E1)
→ *62 Brookline Ave*
Tél. (617) 536-4840
Tlj. 11h30-1h (2h jeu.-sam.)
Décoré de photos noir et blanc nostalgiques de Ted Williams et Babe Ruth, ce bar, QG des fans purs et durs des Red Sox, est la meilleure alternative – à défaut de billets – à Fenway Park : gigantesque bar et écran plat géant.

The Lower Depths (E E1)
→ *476 Commonwealth Ave*
Tél. (617) 266-6662
Tlj. 11h30-1h
Un lieu consacré à la bière, comme le prouve la longue liste de mousses locales et importées. Cuisine de pub haut de gamme : hot-dogs originalement présentés, *quesadillas* et verrines de pommes de terre gratinées aux oignons caramélisés et au fromage bleu.

House of Blues (E E1)
→ *15 Lansdowne St*
Tél. (888) 693-2583
Mar.-sam. 16h30-0h, dim. 9h30-0h30
Après avoir fait les beaux jours de la scène musicale du Harvard Square, la House of Blues (première du pays) s'est installée dans ce bâtiment spacieux près de Fenway Park. Programmation variée, bonne cuisine du Sud et *gospel brunch* apprécié.

SHOPPING

Yawkey Way (E E1)
Il faut absolument s'y rendre pour se procurer l'attirail complet des fans des Red Sox. Cette rue qui longe Fenway Park est en fête les jours de matchs : vendeurs de sandwiches, musique live et émissions de télévision en direct.

Yawkey Way Store
→ *19 Yawkey Way*
Tél. (617) 421-8686
Tlj. 9h-17h (ouverture prolongée les jours de match)

Magic Beans (E B2)
→ *312 Harvard St*
Tél. (617) 264-2326
Lun.-sam. 10h-19h (20h jeu), dim. 11h-18h
Ferme 1h plus tôt en hiver
Les dernières tendances en matière d'accessoires et d'équipements pour bébés (poussettes high-tech, sacs à langes roses et chaises hautes design). Les enfants adoreront la sélection de jouets : kits d'espionnage, tentes d'intérieur, maisons de poupée, etc.

Jean Therapy (E D1)
→ *524 Commonwealth Ave*
Tél. (617) 266-6555 Dim.-mar. 13h-18h, mer.-sam. 11h-19h
Sous l'hôtel Commonwealth, boutique spécialisée en jeans de marques comme Rich and Skinny, Odyn et Rag & Bone. La propriétaire Leah Eckelberger met un point d'honneur à trouver pour chaque cliente le jean parfait et propose même des consultations privées.

Paper Source (E C2)
→ *1361 Beacon St*
Tel. (617) 264-2800
Lun.-sam. 10h-19h (18h sam.), dim. 11h-18h
Un vaste magasin où l'on peut trouver à la fois des kits de reliure, de la papeterie et des bibelots divers.

Brookline Booksmith (E B2)
→ *279 Harvard St*
Tél. (617) 566-6660
Lun.-ven. 8h-22h (23h ven.), w.-e. 9h-23h (21h dim.)
Les bibliophiles de la région adorent cette librairie indépendante au stock gigantesque. Le sous-sol recèle de petits bijoux d'occasion à bas prix.

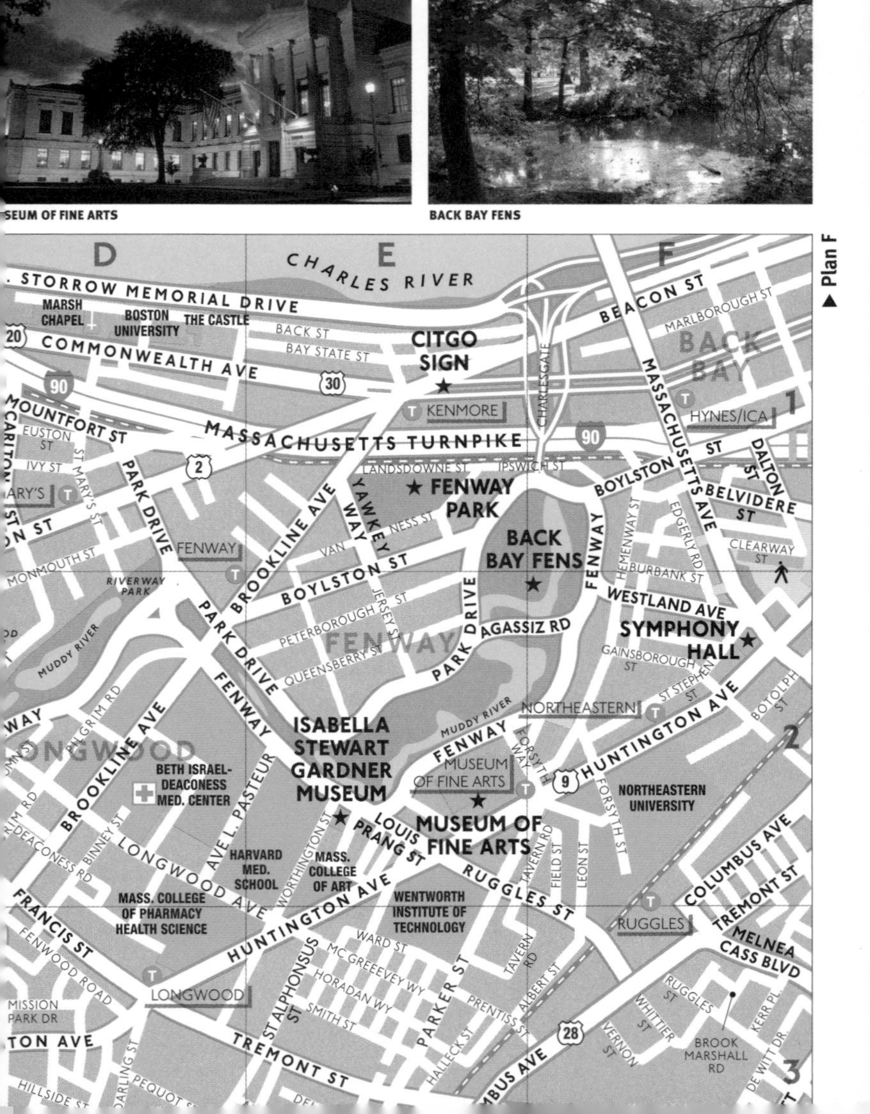
SEUM OF FINE ARTS
BACK BAY FENS
▶ Plan F
D
E
F
1
2
3
CHARLES RIVER
STORROW MEMORIAL DRIVE
MARSH CHAPEL
BOSTON UNIVERSITY
THE CASTLE
BACK ST
BAY STATE ST
COMMONWEALTH AVE
CITGO SIGN
BEACON ST
MARLBOROUGH ST
BACK BAY
MASSACHUSETTS AVE
CHARLESGATE
KENMORE
HYNES/ICA
MOUNTFORT ST
EUSTON ST
ST MARY'S ST
IVY ST
ARY'S
MASSACHUSETTS TURNPIKE
90
30
2
20
9
28
LANDSDOWNE ST
IPSWICH ST
FENWAY PARK
YAWKEY WAY
BROOKLINE AVE
PARK DRIVE
FENWAY
VAN NESS ST
BOYLSTON ST
DALTON ST
BELVIDERE ST
CLEARWAY ST
BACK BAY FENS
HEMENWAY ST
EDGERLY RD
BURBANK ST
WESTLAND AVE
MONMOUTH ST
RIVERWAY PARK
MUDDY RIVER
PETERBOROUGH ST
JERSEY ST
AGASSIZ RD
FENWAY
SYMPHONY HALL
GAINSBOROUGH ST
QUEENSBERRY ST
ST STEPHEN ST
NORTHEASTERN
HUNTINGTON AVE
BOTOLPH ST
PILGRIM RD
LONGWOOD
ISABELLA STEWART GARDNER MUSEUM
MUSEUM OF FINE ARTS
FORSYTH WAY
FORSYTH ST
NORTHEASTERN UNIVERSITY
BETH ISRAEL-DEACONESS MED. CENTER
AVE L. PASTEUR
LOUIS PRANG ST
BINNEY ST
DEACONESS RD
LONGWOOD AVE
HARVARD MED. SCHOOL
WORTHINGTON ST
MASS. COLLEGE OF ART
TAVERN RD
FIELD ST
LEON ST
COLUMBUS AVE
TREMONT ST
FRANCIS ST
MASS. COLLEGE OF PHARMACY HEALTH SCIENCE
WENTWORTH INSTITUTE OF TECHNOLOGY
RUGGLES ST
RUGGLES
MELNEA CASS BLVD
FENWOOD ROAD
WARD ST
MC GREEEVEY WY
HORADAN WY
ST ALPHONSUS ST
SMITH ST
PARKER ST
PRENTISS ST
ALBERT ST
WHITTIER ST
KERR PL.
MISSION PARK DR
BROOK MARSHALL RD
VERNON ST
DE WITT DR.
HALLECK ST
DARLING ST
PEQUOT ST
HILLSIDE ST

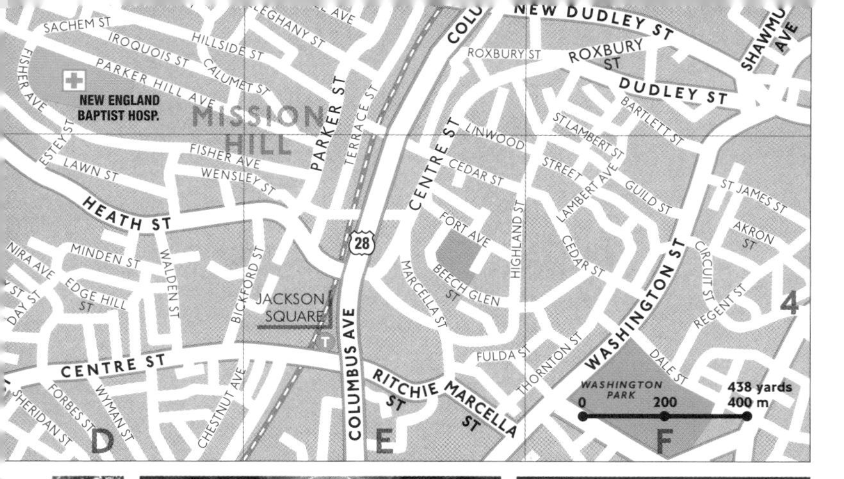

SYMPHONY HALL

CITGO SIGN

ıstead a consacré 20 ans sa vie à la conception l'Emerald Necklace de ston, dont fait partie cet ien marais nauséabond ısformé en jardin où il fait se promener à l'ombre cornouillers. En été, ardin de roses James P. eher explose de parfums e couleurs. À noter : arc est dangereux fois la nuit tombée.

Citgo Sign (E E1)
emblématique panneau ineux de 18 x 18 m, publicité pour la rque Citgo, fait désormais tie du paysage urbain lumine de ses pulsations ges, blanches et bleues le ciel de Kenmore Square. Sa position, au-dessus du mur gauche de Fenway Park, en a fait un point de ralliement des fans des Red Sox. En 2005, les vieux néons ont été remplacés par des faisceaux lumineux plus high-tech.

★ **Coolidge Corner (E** B2)
Idéale pour une escapade, la banlieue aisée de Brookline est à 6 km au sud-ouest de Boston, soit un court trajet en métro. Coolidge Corner, centre commercial en plein air, fréquenté par une clientèle chic mais sans prétentions, aligne ses boutiques de vêtements de créateurs, d'objets design et d'articles pour bébés et mamans dans le vent. Pour un zeste de glamour des années 1930, le cinéma Art déco Coolidge Corner Theatre projette des films indépendants ou classiques et des documentaires.

★ **Kennedy National Historical Site (E** B1)
→ *83 Beals St*
Tél. (617) 566-7937 Fin mai-fin sep. : mer.-dim. 10h30-16h30
Dans une rue tranquille de Brookline, la demeure familiale où naquit le 35e président des États-Unis est une maison tout à fait ordinaire. Lorsque, en 1967, Rose Kennedy la transforme en musée à la mémoire de son fils, elle lui rend son aspect de 1917, mobilier et photos comprises. L'audio-guide qu'elle a enregistré est très émouvant.

★ **Symphony Hall (E** F2)
→ *301 Massachusetts Ave*
Tél. (617) 266-1492 ww.bso.org
La salle de concert Art déco construite en 1900 par le prestigieux bureau d'architecture McKim, Mead and White, est la première pour laquelle des données scientifiques ont été utilisées pour obtenir une acoustique optimale. Siège du célèbre Boston Symphony Orchestra.

CHRIST CHURCH

ESCALIER AU MIT MUSEUM ET SCULPTURES DANS LES JARDINS DU MIT

★ **Harvard Art Museum (F D2)**
→ *Tél. (617) 495-9400*
Tlj. 10h (13h dim.)-17h
www.artmuseums.harvard.edu
Trois musées qui, en 2013, n'en feront plus qu'un. Le "starchitecte" Renzo Piano travaille à ce grand projet, qui regroupera les collections au 32 Quincy St – anciens locaux des musées Fogg et Busch Reisinger –, dans un bâtiment entièrement repensé. En attendant, une grande partie des œuvres sont accueillies par le Sackler Museum.

★ **Fogg Art Museum**
→ *32 Quincy St*
L'inestimable collection de l'université comprend des œuvres de la Renaissance italienne, des peintures de préraphaélites anglais, d'impressionnistes et de postimpressionnistes, mais aussi une sélection bien pensée d'art moderne dont des toiles majeures de Jasper Johns et de Frank Stella.

★ **Arthur M. Sackler Museum**
→ *485 Broadway*
Une collection dominée par les arts islamique et asiatique, mais également une impressionnante section d'art antique, dont des jades chinois du IIe s. et des *surinomo* japonais.

★ **Busch-Reisinger Museum**
→ *32 Quincy St*
Petit musée très complet consacré à l'art germanique On y trouve notamment les artistes abstrait d'après-guerre comme Kandinsky et Klee, et un nombre impressionnant d'œuvres de Joseph Beuys.

★ **Harvard University (F D1)**
→ *Tél. (617) 495-1000*
Fondée en 1636, Harvard est la plus ancienne école d'enseignement supérieur du pays. Le campus de l'université est très étendu, aussi fait-on souvent seulement le tour de Harvard College. À ne pas manquer : le pittoresque Harvard Ya entouré des résidences universitaires en briques mangées par le lierre, Widener Library et ses 80 km d'étagères, la statue de John Harvard e chaussure porte-bonheu

★ **Ray and Maria Stata Center, MIT (F F3)**
→ *32 Vassar St*
Tél. (617) 253-5851
Tlj. 10h-17h
De nos jours, le MIT attire autant de mordus d'architecture que de savants en herbe. Le Sta

SACKLER MUSEUM

FOGG ART MUSEUM

RADCLIFFE YARD

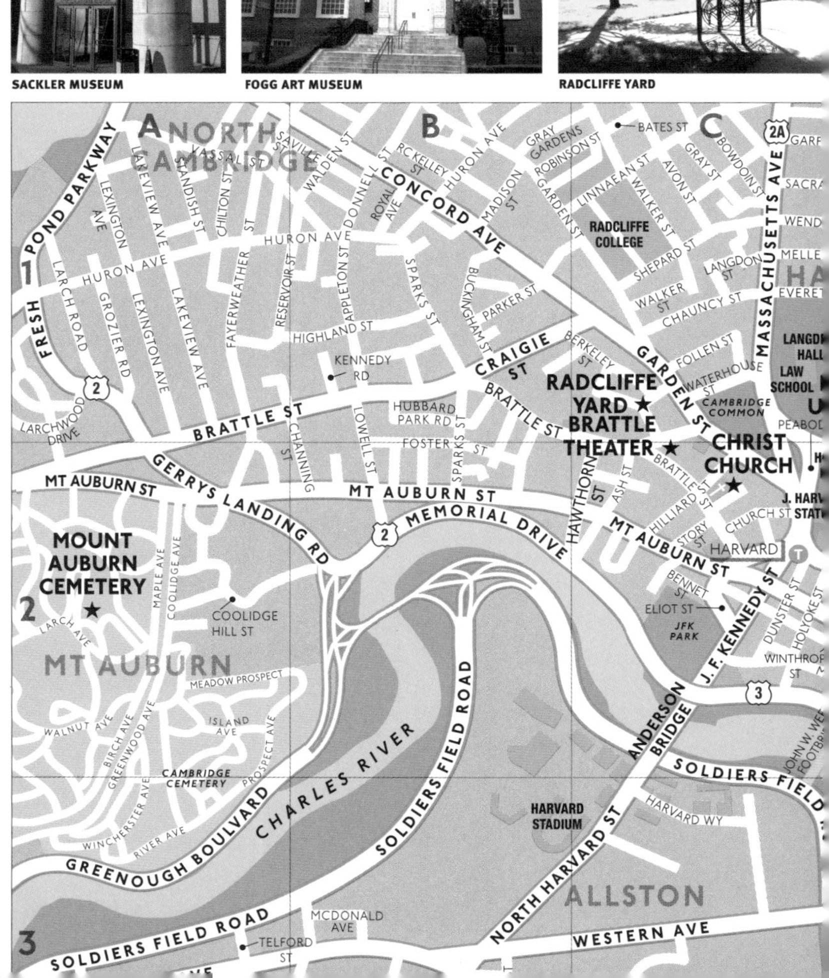

De l'autre côté du fleuve Charles, Cambridge : un amalgame non sans charme de quartiers disparates. Le MIT et ses environs dégagent une ambiance mi-sérieuse mi-décontractée, accentuée par la proximité de Central Square et d'une profusion de petites salles de concert et de bars branchés. Un peu plus bas dans Massachusetts Avenue, Harvard, première université du pays, demeure un bastion privilégié d'éducation supérieure. Son extension officieuse, Harvard Square, abonde en cafés, librairies, bars et restaurants. Les rues périphériques abritent d'imposants hôtels particuliers ; Inman et Davis Squares valent le détour, ne serait-ce que pour la variété de leurs établissements culinaires.

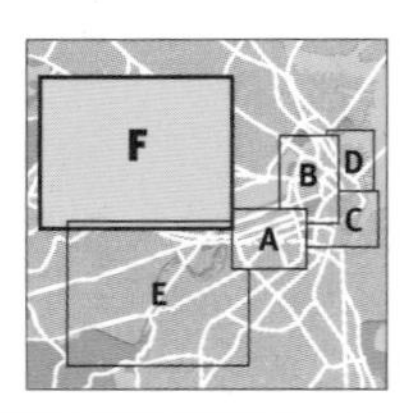

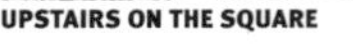
UPSTAIRS ON THE SQUARE

RIALTO

Restaurants

Mr Bartley's (F D2)
→ *1246 Massachusetts Ave*
Tél. (617) 354-6559
Lun.-sam. 11h-21h
Une institution de Harvard Square, toujours bondée. Les spécialités maison ? Des hamburgers aux noms impertinents tels le Ted Kennedy, un "burger libéral dodu cheddar et champignons". Les "extra-thick frappés" (milkshakes frappés bien compacts) et le cocktail citron vert-framboise ont autant de succès. Burgers 9$.

Redbones BBQ
(hors carte **F** B1)
→ *55 Chester St*
Tél. (617) 628-2200
Tlj. 11h30-0h30
Dans ce lieu bruyant et coloré, la nourriture sudiste est tout ce qu'il y a de plus délicieusement mauvais pour les artères : côte de bœuf, poisson-chat frit et filet de porc. Les amateurs de bière descendront à l'Underbar pour boire une pinte et goûter au menu de fin de soirée. Carte 20$.

Tamarind Bay (F C2)
→ *75 Winthrop St*
Tél. (617) 491-4552 Tlj. 12h-14h30 (15h w.-e.), 17h-22h30
La meilleure cuisine indienne de la ville dans un décor aux tonalités bronze. Une offre raffinée de tandooris et d'autres surprises agréables : pétoncles délicatement épicées et grillées, *rogan josh* à base de viande de chèvre au lieu d'agneau. Grand choix de plats végétariens. Carte 26$.

Hungry Mother (F F2)
→ *233 Cardinal Medeiros Ave*
Tél. (617) 499-0090
Mar.-dim. 17h-22h
Bar Mar.-dim. 22h-0h30
Relooking classique et élégant pour le restaurant de Barry Maiden. Cuisine du Sud : poisson-chat frit ultra croustillant avec son ragoût de riz à l'andouille, crevettes douces du Maine, gruau de maïs d'Anson Mills et *tasso ham* (lard). En dessert, essayer le *sticky toffee cake*, délice sucré et légèrement alcoolisé. Carte 26$.

East Coast Grill & Raw Bar (F E2)
→ *1271 Cambridge St*
Tél. (617) 491-6568
Tlj. 17h30-22h (22h30 ven.-sam.), dim. 11h-14h30
L'art des grillades par un de ses maîtres, Chris Schelsinger, à Inman Square. Au menu, un mélange de saveurs latino-américaines, caribéennes et asiatiques : "jerk bluefish" (colin enrobé d'épices cuit au four), ou poulet "glacé"

AIGIE ON MAIN

EAST COAST GRILL AND RAW BAR

BLACK INK

aux épices, rôti à la broche. Pour le dessert, rendez-vous un peu plus bas dans la rue chez **Christina's Homemade Ice Cream**. Carte 30$.

Craigie on Main (F E3)
→ *853 Main St*
Tél. (617) 497-5511 Mar.-dim. 17h30-22h (22h30 ven.-sam.)
***Bar** jusqu'à 1h (cuisine jusque 0h)* ***Brunch** Dim. 11h-14h*
Ragoût du terroir aux champignons du coin avec saucisse de lapin maison et sauce romanesco, porc du Vermont préparé de trois manières : voilà les plats audacieux que concocte Tony Maws. Son burger juteux, avec sa montagne de fines frites, est un des meilleurs de la ville (servi uniquement au bar). 24$ (bar), 45$ (restaurant).

Upstairs on the Square (F C2)
→ *91 Winthrop St*
Tél. (617) 864-1933
***Monday Club Bar and Zebra Room** Tlj. 11h-1h*
***Soirée Room** Mar.-sam. 17h30-22h (23h ven.-sam.)*
Cuisine américaine "nouvelle tendance", dans deux élégantes salles à manger : au rdc, la Monday Club Bar and Zebra Room, décontractée, à l'étage, la Soirée Room, plus guindée. En haut, faisan rôti aux pois anglais, en bas, plats classiques revisités. Carte 40$ (Club Bar) et 60$ (Soirée Room).

Oleana (F F2)
→ *134 Hampshire St*
Tél. (617) 661-0505
Tlj. 17h30-22h (23h ven.-sam.)
Dans un joli restaurant dont le patio a des airs de jardin secret, la chef Ana Sortun réinvente brillamment les standards méditerranéens. On se laisse tenter par le pâté arménien de fèves et noix au fromage filandreux. Glaces légendaires signées Maura Kilpatrick. Carte 50$.

Rialto (F C2)
→ *1 Bennet St, The Charles Hotel Tél. (617) 661-5050*
Tlj. 17h30-22h (21h dim.)
***Bar** Tlj. 17h-23h (22h dim.)*
La célèbre chef Jody Adams donne son interprétation de la cuisine italienne moderne dans l'élégant restaurant du Charles Hotel. Le menu change souvent et met l'accent sur les produits frais et régionaux : raviolis de pomme de terre aux morilles et *taleggio*, raie juste saisie aux asperges et au beurre d'agrumes... Carte 55$.

BARS, CAFÉS

Darwin's Ltd Sandwich Shop (F C2)
→ *148 Mt Auburn St et 1629 Cambridge St*
Tél. (617) 491-2999
Tlj. 6h30-21h (7h dim.)
Deux adresses pour ce célèbre café/traiteur aux sandwichs bien garnis, portant chacun le nom d'une rue de Cambridge.

L. A. Burdick (F C2)
→ *52-D Brattle St*
Tél. (617) 491-4340
Lun.-sam. 8h-21h (22h ven.-sam.), dim. 9h-21h
Minuscule et adorable salon de thé, célèbre pour son onctueux chocolat chaud – blanc, au lait ou noir – et ses pâtisseries maison. Traquer une table libre pour déguster un *gugelhupf* viennois.

Enormous Room (F E3)
→ *567 Massachusetts Ave*
Tél. (617) 491-5550
Tlj. 17h30-1h30
Pas d'enseigne à l'entrée de ce *lounge* marocain très décontracté : il faut localiser la maison mère, Central Kitchen, grimper quelques marches, se faufiler entre la clientèle branchée-débraillée pour se faire une place sur l'un des canapés et savourer le mix de musique funk, hip-hop et reggae.

SHOPPING

J. Press Clothiers (F C2)
→ *82 Mt Auburn St*
Tél. (617) 547-9886

Harvard coop 1400, Mass. ave

Lun.-sam. 9h-17h30
Costumes et chemises sur mesure – mais aussi ceintures-sangles aux couleurs flashy –, par un tailleur distingué de l'époque où Harvard était réservé aux hommes...

The Tannery (F C2)
→ *11A Brattle St*
Tél. (617) 491-0810
Lun.-sam. 9h-21h (20h sam.), dim. 10h-19h
Une sélection éclectique de prêt-à-porter : baskets Kangaroo funky et bottes tout-terrain, polos Lacoste et polaires Northface.

Black Ink (F C2)
→ *5 Brattle St*
Tél. (617) 497-1221 Lun.-ven. 10h-20h, w.-e. 11h-19h
Du sol au plafond, des étagères débordant de babioles urbaines et d'objets domestiques branchés.

Abodeon (F C1)
→ *1731 Massachussetts Ave*
Tél. (617) 497-0137 Lun.-sam. 10h-18h, dim. 12h-18h
Belle sélection de mobilier et objets vintage et modernes.

Harvard Book Store (F D2)
→ *1256 Massachusetts Ave*
Tel. (617) 661-1515
Lun.-sam. 9h-23h (0h ven.-sam.) ; dim. 10h-22h
Ouvrages classiques et savants. Au sous-sol, livres anciens et occasion. Le lieu reçoit parfois des auteurs.

RVARD UNIVERSITY

RAY AND MARIA STRATA CENTER, MIT

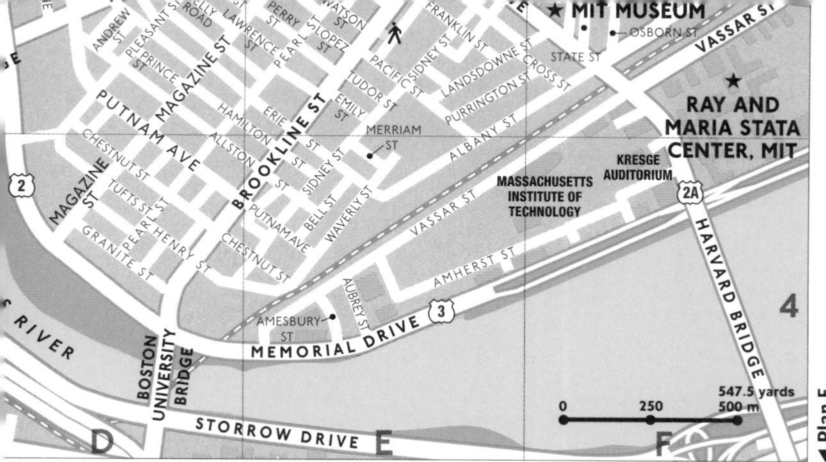

TTLE THEATER

MOUNT AUBURN CEMETERY

ter, conçu par Frank
ry en 2003 pour abriter
boratoire d'informatique
'intelligence artificielle,
listingue par sa façade
orique et en métal et sa
cture dénuée d'angles.

IIT Museum (F F3)
65 Massachusetts Ave
(617) 253-5927 Tlj. 10h-17h
://web.mit.edu/museum
nusée du MIT réunit tout
ui est high-tech et à la
nte. La galerie principale
ose la plus importante
ection d'hologrammes
globe, dont une
itution inquiétante
'homme de Lindlow,
x de 2 000 ans.
art Nautical Gallery
est consacrée à l'histoire de l'architecture navale – des clippers aux yachts de course de l'America's Cup.

★ Brattle Theater (F C2)
→ *40 Brattle St*
Tél. (617) 876-6837
www.brattlefilm.org
Une institution de Harvard Square depuis les années 1900. L'unique salle projette des films en tous genres, de Charlie Chaplin aux frères Coen, et organise, avec Harvard Book Store, des séances de lecture. Le Brattle aurait été le premier à lancer le culte Bogart en passant *Casablanca* pendant la semaine des examens !

★ Christ Church (F C2)
→ *Zero Garden St*
Tél. (617) 876-0200
***Messes** Dim. 7h45, 10h15 ; mer. 12h10*
La plus ancienne église de Cambridge, élevée en 1759 par le premier architecte américain, Peter Harrison.

★ Radcliffe Yard (F C1)
Si les étudiants associent les lieux avec le bureau d'admission de Harvard, les historiens sont plutôt concernés par l'Arthur and Elizabeth Schlesinger Library et sa collection de documents relatifs à l'histoire des femmes. Le fonds de livres de cuisine propose, à lui seul, plus de 15 000 volumes, dont les archives personnelles de chefs renommés comme M. F. K. Fisher (1908-1992) et Julia Child (1912-2004).

★ Mount Auburn Cemetery (F A2)
→ *580 Mt Auburn St*
Tél. (617) 547-7105
Tlj. 8h-17h (19h mai-août)
Il n'est pas étonnant que l'élite bostonienne – dont Charles Bulfinch et Isabella Stewart Gardner – ait choisi ce cadre bucolique pour dernière demeure : 70 ha de collines onduleuses, d'étangs tranquilles et forêts épaisses où poussent plus de 700 variétés de plantes.

TRANSPORTS PUBLICS

Massachusetts Bay Transport Authority
→ *www.mbta.com*
Informations sur les bus et les métros.
Métro
→ *Tlj. 5h-1h (selon l'arrêt)*
Rapide et bon marché, le "T" est idéal pour se rendre presque partout en ville.
La nouvelle Silver Line relie les anciennes lignes aux systèmes hybrides d'autobus high-tech qui circulent aussi bien sur les routes que dans les tunnels souterrains par des fils électriques. Fin des travaux en 2010.
Stations
Entrées signalées par de grands symboles et marquées "Outbound" ou "Inbound". "Inbound" mène toujours vers les plate-formes de correspondance de Government Center, Park Street et Downtown Crossing.
Bus
Autour de 170 itinéraires. Plans disponibles dans les stations de métro principales ou sur *www.mbta.com*
Noctambus entre 0h30 et 2h, ven. et sam. soir.
Titres de transport
→ *T et Silver Line 2$*
→ *Bus 1,50$*
Avec la Charlie Card (rechargeable) :
T et Silver Line 1,70$; bus 1,25$.
Pass
→ *1 jour : 9$; 7 jours : 15$*
Enfants de - de 11 ans gratuit
Valable dans le métro, le bus et le ferry.

ARNOLD ARBORETUM

ATRIUM DE LA JFK LIBRARY

DÉPART DE LONG WHARF VERS LES BOSTON ISLANDS

ÎLE DE LITTLE BREWSTER

modernité et confort douillet. Bonne chère assurée, à Henrietta's Table, café réputé pour ses produits frais et son brunch du dimanche, ou au 1 Bennett Street, l'un des meilleurs restaurants de la ville. 220-400$.

Boston Park Plaza Hotel & Towers (A F2)
→ *50 Park Plaza*
Tél. (617) 426-2000
bostonparkplaza.com
Autoproclamé "ville dans la ville", ce mastodonte occupe une bonne partie de la rue avec 941 chambres élégantes et 7 restaurants/*lounges*. Les amateurs de théâtre apprécieront la proximité des salles de spectacle. 220-300$.

230-300$

Hotel Marlowe
(hors plan **B** A2)
→ *25 Edwin H. Land Blvd*
Tél. 617-868-8000
www.hotelmarlowe.com
Plaisant hôtel en face du fleuve Charles, proche de MIT et à quelques stations de métro de Downtown. Petits luxes originaux et décalés : moquette à motif léopard, vidéos de yoga et de pilate dans les chambres, et régime de faveur pour les animaux domestiques. 230-330$.

Onyx Hotel (B D3)
→ *155 Portland St*
Tél. (617) 557-9955
www.onyxhotel.com
Près du Fleet Center, il se distingue par son motif optique aux tonalités rouge cerise. Vin apéritif tous les soirs et service de limousine gratuit le matin pour se rendre aux réunions. Console Nintendo dans toutes les chambres et produits écologiques dans les sdb. 230-320$.

InterContinental Boston (C E2)
→ *510 Atlantic Ave*
Tél. (617) 747-1000 www.intercontinentalboston.com
Un favori des hommes d'affaire les plus exigeants, ouvert en 2006. Dans une haute tour, en plein port, 424 chambres de taille agréable au décor chic et moderne. 230-350$.

Renaissance Boston Waterfront Hotel
(hors plan **C** D4)
→ *606 Congress St*
Tél. (617) 338-4111
www.marriott.com
Une adresse pour *businessmen*, à South Boston – quartier qui se développe à grande vitesse –. Côté déco, thème aquatique coloré, côté assiette, le dernier restaurant du chef Michael Schlow, le "606 Congress". 230-350$.

Beacon Hill Hotel (B B5)
→ *25 Charles St*
Tél. (617) 723-7575
www.beaconhillhotel.com

AÉROPORT

Logan International Airport
→ *Tél. (800) 235-0426*
www.massport.com
Plaque tournante du transport aérien de la Nouvelle-Angleterre. À l'est de Downtown, accessible *via* deux tunnels majeurs.
Liaisons centre-ville
Taxi
→ *20-30 min*
Tarif 15-20$
Métro
→ *20 min Tarif 2$*
Silver Line
→ *15-20 min Tarif 2$*
Nouvelle ligne très pratique entre l'aéroport et South Station.

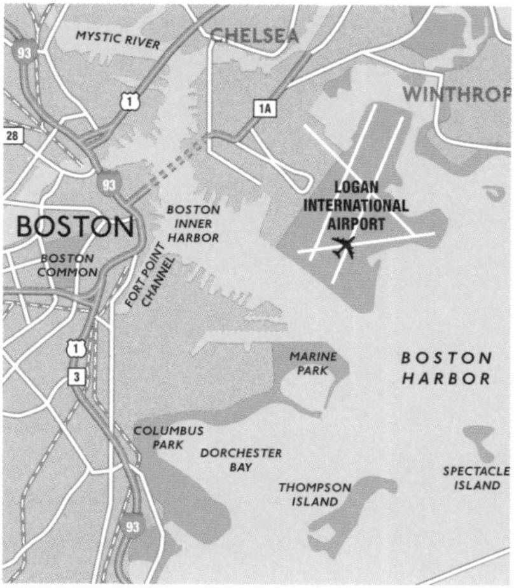

ACCÈS AÉROPORT

TAXIS

Moins nombreux qu'à New York, les taxis de Boston s'avèrent utiles pour se rendre dans des lieux isolés ou se déplacer tard le soir. Appeler l'une des compagnies ci-dessous ou les héler dans la rue.
Prix
→ *2,60$ pour le premier 1/7 de mile, puis 0,40$ pour chaque 1/7 de mile additionnel.*
Pourboire
→ *15 % du prix de la course*
Compagnies
Boston Cab
→ *Tél. (617) 536-3200*
Checker Cab
→ *Tél. (617) 536-7000*

En ville, les hôtels affichent des prix très élevés. Des formules d'hébergements plus économiques sont proposées par des chaînes nationales comme Sheraton et Howard Johnson. Sauf mention contraire, les prix indiqués sont ceux d'une chambre double standard avec salle de bains (sdb) en haute saison. Les tarifs varient fortement en fonction des événements – comme la saison des graduations (remises de diplômes) ou le 4 juillet. La taxe hôtelière (12,45 %) n'est pas incluse. Il est fortement conseillé de réserver.

160-230$

The Charlesmark Hotel (A C2)
→ *655 Boylston St*
Tél. (617) 247-1212
www.thecharlesmark.com
Le chic urbain à prix discount pour cet hôtel de charme en face de Copley Square. 33 chambres au décor simple et contemporain avec quelques touches amusantes : peintures murales originales et fleurs coupées. Petit déjeuner continental. 120-320$.

The Inn @ St Botolph (A B4)
→ *99 St Bodolph St*
Tél. (617) 236-8099
www.innatstbotolph.com
Le petit frère du XV Beacon satisfera les voyageurs les plus indépendants qui n'ont pas besoin d'un concierge ou d'un portier à plein temps. On entre par le hall du bâtiment, sans clé, et les chambres sont conçues comme de petits appartements avec salon et kitchenette. Le lieu manque peut-être un peu de charme, qu'il compense avec ses tarifs modestes et sa très bonne situation, près du Prudential Center. 180-250$.

Fairmont Copley Plaza (A D2)
→ *138 St James Ave*
Tél. (617) 267-5300
www.fairmont.com
La majestueuse façade et les marquises écarlates du Fairmont Hotel font partie intégrante du paysage de Copley Square depuis 1912. Une récente rénovation a remis au goût du jour les 383 suites, toutes en marbre et bois sombre. 209-400$.

Lenox Hotel (A C2)
→ *61 Exeter St*
Tél. (617) 536-5300
www.lenoxhotel.com
Un majestueux hôtel indépendant près de la Public Library. L'immeuble des années 1950 a fait l'objet d'une rénovation il y a quelques années, à l'issue de laquelle furent rajoutés deux restaurants à la mode. Demander une suite d'angle avec cheminée. 215-370$.

Jury's Boston (A E2)
→ *350 Stuart St*
Tél. (617) 266-7200
www.jurysdoyle.com
En 2004, l'ancien quartier général de police de la ville s'est offert un lifting de 60 millions de dollars pour se muer en un hôtel de 220 chambres. La touche irlandaise s'y distingue autant dans le service chaleureux qu'au pub traditionnel. Au Stanhope Grill, solide cuisine et petit déj. irlandais. 215-400$.

The Charles Hotel (hors plan **F** A4)
→ *1 Bennett St*
Tél. (617) 864-1200
www.charleshotel.com
Célébrités et hommes politiques y séjournent lorsque leurs cycles de conférences les amènent à Harvard. Les chambres décorées dans le style Shaker, avec *quilts* faits main et meubles traditionnels, allient

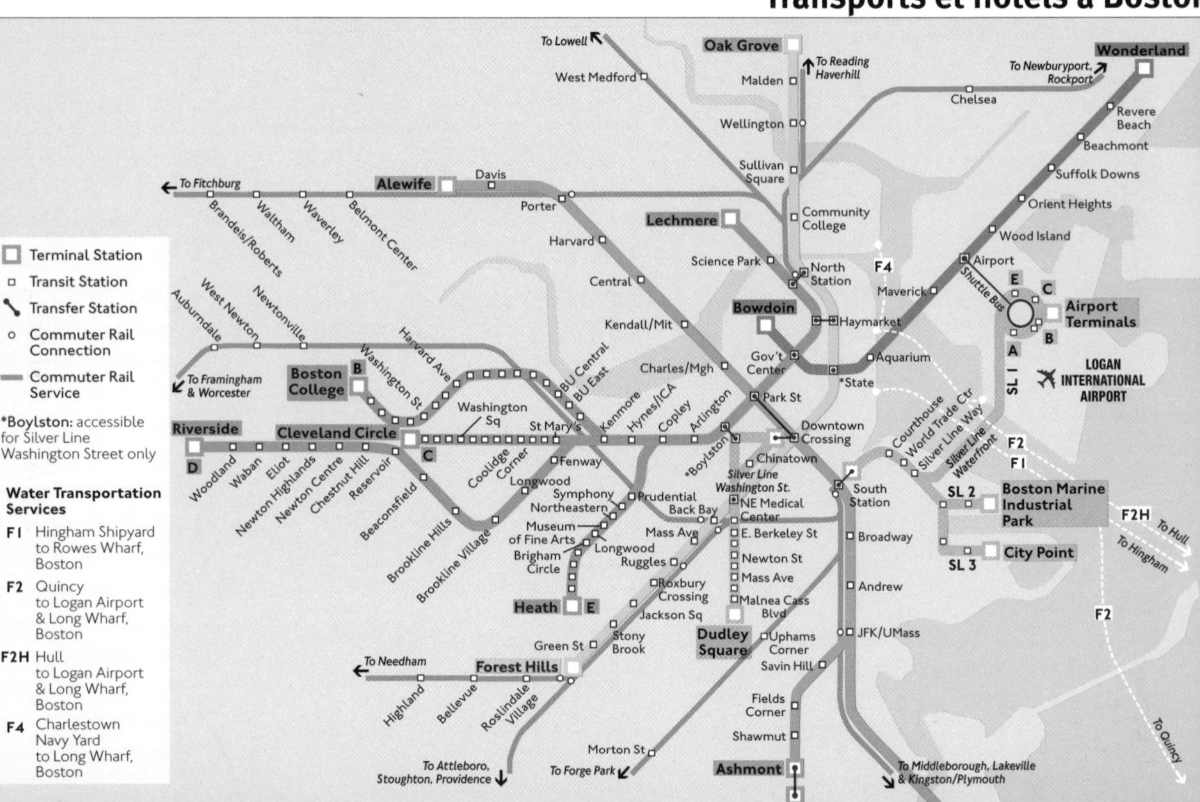
Oak Grove
To Lowell
West Medford
Malden
To Reading Haverhill
Wellington
Sullivan Square
Community College
Wonderland
To Newburyport, Rockport
Chelsea
Revere Beach
Beachmont
Suffolk Downs
Orient Heights
Wood Island
Airport
Shuttle Bus
Maverick
Airport Terminals
LOGAN INTERNATIONAL AIRPORT
SL 1
To Fitchburg
Alewife
Davis
Porter
Harvard
Central
Kendall/Mit
Charles/Mgh
Lechmere
Science Park
North Station
Bowdoin
Haymarket
Gov't Center
Aquarium
*State
Park St
Downtown Crossing
Chinatown
Brandeis/Roberts
Waltham
Waverley
Belmont Center
Auburndale
West Newton
Newtonville
To Framingham & Worcester
Boston College
Washington St
Harvard Ave
BU Central
BU East
Kenmore
Hynes/ICA
Copley
Arlington
*Boylston
Riverside
Cleveland Circle
Washington Sq
St Mary's
Woodland
Waban
Eliot
Newton Highlands
Newton Centre
Chestnut Hill
Reservoir
Beaconsfield
Brookline Hills
Brookline Village
Coolidge Corner
Longwood
Fenway
Symphony
Northeastern
Prudential
Museum of Fine Arts
Longwood
Brigham Circle
Heath
Back Bay
Mass Ave
Ruggles
Roxbury Crossing
Jackson Sq
Stony Brook
Green St
Forest Hills
To Needham
Highland
Bellevue
Roslindale Village
To Attleboro, Stoughton, Providence
To Forge Park
Morton St
Silver Line Washington St.
NE Medical Center
E. Berkeley St
Newton St
Mass Ave
Malnea Cass Blvd
Dudley Square
Uphams Corner
Savin Hill
Fields Corner
Shawmut
Ashmont
South Station
Broadway
Andrew
JFK/UMass
To Middleborough, Lakeville & Kingston/Plymouth
Courthouse
World Trade Ctr
Silver Line Way
Silver Line Waterfront
SL 2
SL 3
Boston Marine Industrial Park
City Point
F1
F2
F2H
F4
To Hull
To Hingham
To Quincy
Terminal Station
Transit Station
Transfer Station
Commuter Rail Connection
Commuter Rail Service
*Boylston: accessible for Silver Line Washington Street only
Water Transportation Services
F1 Hingham Shipyard to Rowes Wharf, Boston
F2 Quincy to Logan Airport & Long Wharf, Boston
F2H Hull to Logan Airport & Long Wharf, Boston
F4 Charlestown Navy Yard to Long Wharf, Boston

Les noms des rues, des monuments et des lieux de visite sont classés par ordre alphabétique. Ils sont suivis d'un carroyage, dont la première lettre en gras (**A, B, C**...) indique la zone géographique et la carte correspondante.

Rues

Boston Harbor Islands

→ Départ de ferries Harbor Express tlj. de Long Wharf près de Columbus Park Tél. (617) 223-8666 www.bostonislands.com www.harborexpress.com
Préparer un pique-nique et sauter sur un ferry pour une agréable journée dans les îles. Des 34, dont la taille varie entre un demi et 110 ha, seules 11 sont accessibles et figurent sur la carte ci-contre, dont George's Island, où se trouve Fort Warren. Des taxis sur l'eau font gratuitement la navette entre les îles.

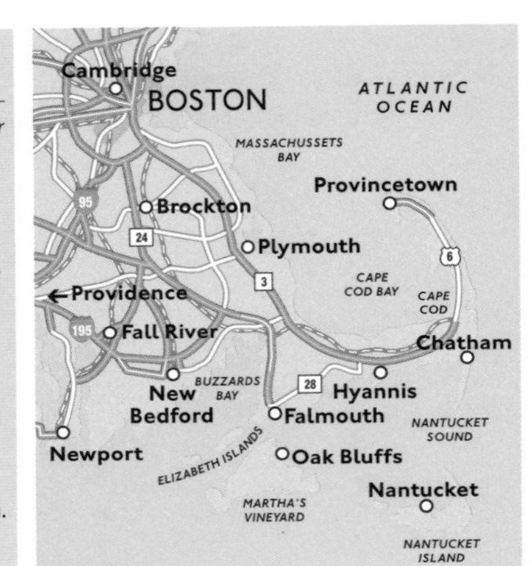

ÉCHAPPÉES

doute le style moderniste recherché : couvre-lits rayés et meubles aux lignes inhabituelles. Et si l'un d'entre eux devenait indispensable, tout ou presque est à vendre. 300-400$.

The Liberty Hotel (B B3)
→ 215 Charles St Tél. (617) 224-4000 www.libertyhotel.com
Hôtel tape-à-l'œil installé dans une ancienne prison des années 1850. Chambres somptueuses avec téléviseurs high-tech et station MP3, salle de gym ouverte 24h/24 et, pour dîner, trois espaces prestigieux au choix : le Clink, un *lounge* servant des snacks, l'Alibi, bar à cocktails pétillants, et Scampo, restaurant italien de la chef Lydia Shire. 300-550$.

Palaces

Boston Harbor Hotel (C F2)
→ 70 Rowes Wharf Tél. (617) 439-7000 www.bhh.com
Complexe luxueux de 230 chambres accessible par taxi fluvial de l'aéroport. Le restaurant Meritage est connu pour ses mets et vins fins et sa vue sur le port. 330-475$.

The Ritz-Carlton, Boston Common (C B3)
→ 10 Avery St Tél. (617) 574-7100 www.ritzcarlton.com
L'hôtel a de quoi frimer avec ses 193 chambres grand luxe équipées de stéréo Bang & Olufsen, d'immenses téléviseurs à écran plat et de produits de bains signés Bulgari. Sans oublier sa collection d'art contemporain estimée à un million de dollars et son accès privé au très sélect SportsClub/LA. 375-500$.

Mandarin Oriental Boston (B B6)
→ 776 Bolyston St Tél. (617) 535-8880 www.mandarinoriental.com
148 spacieuses chambres au décor d'influence asiatique (bois laqué, tissus, artisanat subtil), un spa et un excellent restaurant. La navette à disposition et le service parfait en font l'un des hôtels les pus chics de la ville. 450-550$.

Four Seasons Hotel Boston (A F1)
→ 200 Boylston St Tél. (617) 338-4400 www.fourseasons.com/boston
Service impeccable et vue imprenable sur Public Garden. Les 273 chambres au mobilier du XIXe siècle ont tous les avantages de la technologie du XXIe siècle. 450-650$.

Échappées

Cape Cod
→ Le pont, Sagamore Bridge, qui relie Cape Cod au continent est à 48 km de Boston. Route très encombrée en haute saison. Départ de ferries tlj. de Boston à Provincetown www.capecodchamber.org
Commençant à Falmouth, à 1h30 de Boston, Cape Cod s'enorgueillit de 112 km de côte dégagée sur l'océan Atlantique et le bras de mer de Nantucket. L'inconvénient étant que, pendant les mois d'été, toute la population de Nouvelle-Angleterre semble s'y retrouver. Provincetown, à 1h de Boston par ferry rapide, est réputée pour sa communauté gay et son ambiance fun.

Martha's Vineyard
→ 11 km au large de Cape Cod www.mvy.com. Accessible de Boston via Cape Cod en ferry (45 min) ou en avion (30 min, www.flycapeair.com)
Destination estivale des célébrités littéraires, politiques et du showbiz, dont les Clinton. Une petite île délicieuse.

Nantucket
→ 42 km au large de Cape Cod Accessible par petit avion ou ferry de Hyannisou Woods Hole www.nantucket.net
Ancien port baleinier devenu terrain de jeu et de plage pour gens fortunés, Nantucket a conservé le charme que lui donnent ses rues tortueuses et sa côte magnifique.

SOUTH BOSTON

John Fitzgerald Kennedy Library & Museum
→ *Columbia Point Morrissey Blvd*
À Columbia Point, prendre la Red Line jusqu'à la station JFK/UMASS Navette siglée JFK ttes les 20 min Tél. (617) 514-1600 Tlj. 9h-17h www.jfklibrary.org
L'hommage de I. M. Pei au 35e président des États-Unis domine Dorchester dans un parc de 4 ha. Sont présentés : notes manuscrites, enregistrements vocaux et photos d'archives. Une expo permanente est consacrée à la First Lady, Jacqueline Bouvier Kennedy.

Arnold Arboretum
→ *Jamaica Plain 125 The Arborway (20-30 min du centre avec le "T". Prendre l'Orange Line jusqu'à Forest Hills) Tél. (617) 524-1718 www. arboretum.harvard.edu Tlj. lever-coucher du soleil* ***Visites guidées*** *Avr.-nov. : mer., ven.-dim.*
Le plus impressionnant des parcs de l'Emerald Necklace (une succession de parcs reliés les uns aux autres entre Boston Common et Public Garden) : 100 ha de sentiers, collines, étangs et jardins. Se procurer un plan au Hunnewall Visitors Center et s'amuser à distinguer les 4 500 variétés d'arbres et d'arbustes. Mi-mai, la floraison des lilas donne lieu à un dimanche de festivités (danses, pique-niques...)

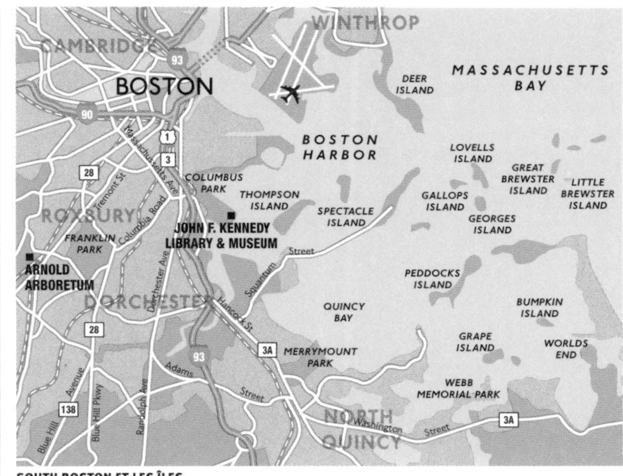

SOUTH BOSTON ET LES ÎLES

Avec 12 chambres élégamment décorées et une piscine sur le toit, il pourrait aisément être confondu avec un hôtel particulier de la bourgoisie bostonienne. Restaurants gourmets et boutiques chics de Charles Street sont à deux pas, et la jeunesse dorée a fait du bistro de l'hôtel son repaire. 245-350$.

Hotel Commonwealth (E E1)
→ *500 Commonwealth Ave Tél. (617) 933-5000 www.hotelcommonwealth.com*
Une option chic à l'angle de Fenway Park. Les fans des Red Sox se réjouiront de la proximité de la maison mère, tandis que le commun des mortels profitera du chaleureux décor moderne. La cuisine du très branché restaurant Eastern Standard y est servie en room service ! 250-300$.

XV Beacon (B C-D5)
→ *15 Beacon St Tél. (617) 670-1500 www.xvbeacon.com*
Ce petit hôtel de 61 chambres se distingue par un faste de bon goût. Le design judicieux inclut des cheminées, des porte-serviettes chauffés et, luxe absolu, une écurie de berlines Lexus à disposition. Mooo, élégant restaurant de grillades du chef Jamie Mammano, est fréquenté y compris par les non-résidents, pour les grandes occasions. 275-475$.

Eliot Hotel (E E1)
→ *370 Commonwealth Ave Tél. (617) 267-1607 www.eliothotel.com*
Aux abords de Back Bay, cet hôtel intime se targue d'attirer une clientèle exigeante. L'emplacement un peu excentré est compensé par le room service assuré 24h/24 par Clio, restaurant japonais-fusion connu et reconnu, lauréat d'un prix James Beard. 275-450$.

Fairmont Battery Wharf (D D3)
→ *3 Battery Wharf Tél. (617) 994-9000 www.fairmont.com*
Spacieuses chambres au décor contemporain assez élégant, ainsi que des suites aux vues fabuleuses et... aux écrans plats gigantesques. Restaurant intimiste ouvert par Guy Martin, et centre de fitness high-tech. 280-380$.

300-380$

Nine Zero Hotel (B D5)
→ *90 Tremont St Tél. (617) 772-5800 www.ninezero.com*
Les amateurs de design apprécieront sans aucun